JEAN-JACQUES ROUSSEAU
(1712-1778)

JEAN-JACQUES ROUSSEAU nasceu em 28 de junho de 1712 em Genebra (Suíça), em uma família de origem francesa. Sua mãe morreu logo após o nascimento, de complicações no parto. Aos dez anos, foi abandonado pelo pai, ficando aos cuidados de tios que o criaram na tradição protestante. Ainda jovem, tomou gosto por histórias romanescas e pela leitura de Plutarco. Aos dezesseis anos deixou sua cidade natal e viajou por diversos países. Tornou-se secretário e protegido de madame Louise de Warens, mulher rica que teve uma profunda influência em toda a vida do escritor. Em 1742, radicou-se em Paris, onde trabalhou como professor, copista e secretário de um embaixador. Inventou um sistema de notação musical e fez-se conhecer como compositor da ópera *As musas galantes*. Fez amizade com o filósofo francês Denis Diderot, que lhe convidou a colaborar para a prestigiosa *Enciclopédia*, primeiramente escrevendo sobre música; mas o mais famoso dos seus artigos acabou sendo sobre política econômica. Em 1750, foi premiado pela Academia de Dijon pelo *Discurso sobre as ciências e as artes*.

O *Discurso sobre a origem da desigualdade* (1755) exerceu uma grande influência sobre o pensamento político da época e fundou a reputação do autor. De espírito sistemático e caráter apaixonado, Rousseau elaborou uma doutrina segundo a qual o homem é um ser naturalmente bom, cuja bondade foi corrompida pela sociedade; portanto é preciso, sempre que possível, voltar à virtude primitiva. Resultou daí, no escritor, um vivo sentimento da natureza e um amor à solidão que mais tarde se acentuaria. Fiel a seu sistema, rejeitou os nando o teatro na *Cart* (1758), que lhe retirou

No meio de disputas e acusações, ele escreveu suas obras-primas: *A nova Heloísa* (1761) – romance epistolar de um retorno à vida natural, que teve um imenso sucesso; *O contrato social* e *Emílio* (1762), sendo o primeiro fruto da preocupação em esclarecer seu ideal político-educacional, e o segundo, obra pedagógica cujas ideias religiosas foram imediatamente condenadas, o que o obrigou a anos de errância. Vivendo desde então atormentado pela ideia de um complô dirigido contra ele e desejando, graças à confissão de seus erros, justificar-se perante a posteridade, redigiu (de 1765 a 1770) as *Confissões* (póstumas, 1782 e 1789) e evocou suas lembranças em *Os devaneios do caminhante solitário*, compostos de 1776 até sua morte. Nessas duas obras, Rousseau renovou suas ideias na área da política e da educação, propôs novos temas em literatura, prenunciou as grandes mudanças políticas da Revolução Francesa e o romantismo. Foi também o primeiro escritor moderno a atacar a instituição da propriedade privada, e por isso é considerado um precursor do socialismo moderno.

Após passar pela Inglaterra e pela Prússia, regressou à França em 1768, sob o falso nome de Renou. Nesse mesmo ano, casou-se com Thérese le Vasseur. Morreu em 2 de julho de 1778, em Ermenonville, na França.

Livros do autor na Coleção **L&PM** POCKET:

O contrato social
Os devaneios do caminhante solitário
Discurso sobre a origem e os fundamentos da desigualdade entre os homens

Jean-Jacques Rousseau

O CONTRATO SOCIAL

Tradução de Paulo Neves

www.lpm.com.br

L&PM POCKET

Coleção **L&PM** POCKET, vol. 631

Texto de acordo com a nova ortografia.

Título original: *Du Contrat Social*

Primeira edição na Coleção **L&PM** POCKET: agosto de 2007
Esta reimpressão: outubro de 2022

Tradução: Paulo Neves
Apresentação: João Carlos Brum Torres
Capa: Ivan Pinheiro Machado
Ilustração da capa: Tomada da Bastilha, Paris, 14 de julho de 1789. O povo é liderado por Marianne, símbolo da República Francesa, que leva uma tocha. Ilustração da década de 30, de autor desconhecido. © Rue des Archives/PVDE
Preparação de original: Elisângela Rosa dos Santos
Revisão: Jó Saldanha

CIP-Brasil. Catalogação na fonte
Sindicato Nacional dos Editores de Livros, RJ

R77c

Rousseau, Jean-Jacques, 1712-1778
  O contrato social / J. J. Rousseau ; [apresentação de João Carlos Brum Torres; tradução Paulo Neves]. – Porto Alegre, RS: L&PM, 2022.
  160p. : 18 cm – (Coleção L&PM POCKET; v. 631)

  Título original: *Du Contrat Social*

  ISBN 978-85-254-1665-0

  1. Ciência política. 2. Contrato social. I. Neves, Paulo. II. Título. III. Série.

07-2783.   CDD: 320.01
                                CDU: 321.01

Este livro foi publicado originalmente em 1762.
© da tradução, L&PM Editores, 2007

Todos os direitos desta edição reservados a L&PM Editores
Rua Comendador Coruja, 314, loja 9 – Floresta – 90.220-180
Porto Alegre – RS – Brasil / Fone: 51.3225.5777

Pedidos & Depto. Comercial: vendas@lpm.com.br
Fale conosco: info@lpm.com.br
www.lpm.com.br

Impresso no Brasil
Primavera de 2022

Sumário

APRESENTAÇÃO – *João Carlos Brum Torres*............... 7

O CONTRATO SOCIAL 21

Advertência.. 22

Livro I
Capítulo I – Tema deste primeiro livro 23
Capítulo II – Das primeiras sociedades 24
Capítulo III – Do direito do mais forte 26
Capítulo IV – Da escravidão....................................... 27
Capítulo V – Da necessidade de sempre remontar
   a uma primeira convenção 31
Capítulo VI – Do pacto social 32
Capítulo VII – Do soberano.. 35
Capítulo VIII – Do estado civil 37
Capítulo IX – Do domínio real 38

Livro II
Capítulo I – A soberania é inalienável 42
Capítulo II – A soberania é indivisível 43
Capítulo III – Se a vontade geral pode errar............. 45
Capítulo IV – Dos limites do poder soberano 46
Capítulo V – Do direito de vida e de morte............... 50
Capítulo VI – Da lei 52
Capítulo VII – Do legislador 55
Capítulo VIII – Do povo 60
Capítulo IX – Continuação 61
Capítulo X – Continuação 64
Capítulo XI – Dos diversos sistemas de legislação .. 67
Capítulo XII – Divisão das leis................................... 69

Livro III

Capítulo I – Do governo em geral 71
Capítulo II – Do princípio que constitui as diversas formas de governo 76
Capítulo III – Divisão dos governos 79
Capítulo IV – Da democracia 80
Capítulo V – Da aristocracia 82
Capítulo VI – Da monarquia 84
Capítulo VII – Dos governos mistos 90
Capítulo VIII – Nem toda forma de governo convém a todo país 91
Capítulo IX – Dos sinais de um bom governo 96
Capítulo X – Do abuso do governo e de sua tendência a degenerar 98
Capítulo XI – Da morte do corpo político 101
Capítulo XII – Como se mantém a autoridade soberana 102
Capítulo XIII – Continuação 103
Capítulo XIV – Continuação 105
Capítulo XV – Dos deputados ou representantes ... 106
Capítulo XVI – A instituição do governo não é de modo algum um contrato 109
Capítulo XVII – Da instituição do governo 110
Capítulo XVIII – Meio de prevenir as usurpações do governo 112

Livro IV

Capítulo I – A vontade geral é indestrutível 115
Capítulo II – Dos sufrágios 117
Capítulo III – Das eleições 120
Capítulo IV – Dos comícios romanos 122
Capítulo V – Do tribunato 133
Capítulo VI – Da ditadura 135
Capítulo VII – Da censura 138
Capítulo VIII – Da religião civil 140
Capítulo IX – Conclusão 151

APRESENTAÇÃO

*João Carlos Brum Torres**

O Contrato Social foi publicado originalmente em 1762, junto com o *Emílio*, a grande obra pedagógica de Rousseau.** O autor tinha então cinquenta anos e se encontrava no auge de sua carreira de pensador e publicista. Todavia, o prestígio não o resguardaria das perseguições e dos aborrecimentos, que, na verdade, adquiriram especial gravidade justamente em função da vinda a lume dessas duas obras.

Com efeito, impresso na Holanda, o *Contrato* teve proibido seu ingresso na França, por decisão de Lamoignon des Malesherbes, então Diretor da Livraria*** e, nessa condição, responsável pela censura régia sobre todos os impressos. Este, no entanto, foi o menor e apenas o primeiro dos percalços por que passaria Rousseau nesse ano difícil. Sua situação viria a agravar-se bem mais com a emissão de um mandado de prisão e com as simultâneas interdição de divulgação e determinação de queima do *Emílio* pelo Parlamento de Paris, deliberações, ao que consta, tomadas em atenção à representação de Christophe de Beaumont, Par de França, Provedor da Sorbonne e, principalmente, Arcebispo de Paris.

---

* João Carlos Brum Torres é professor, doutor em Ciência Política e autor do livro *Transcendentalismo e dialética* (L&PM Editores, 2005).

** Emílio foi a obra que Rousseau dedicou à questão da educação. O objetivo principal do tratado era o de apresentar um plano detalhado dos princípios a serem seguidos em cada etapa do desenvolvimento infantil e juvenil com vistas a formar um cidadão ao mesmo tempo disciplinado e livre. A obra tornou-se muito polêmica pelo sarcasmo com que Rousseau trata os grandes deste mundo – reis, nobres, grandes prelados, ricos – e pelas críticas à religião tradicional.

*** Este era o nome dado na França do Antigo Regime à autoridade responsável pela censura prévia dos livros e demais impressos.

Embora se pudesse esperar diferentemente, em Genebra – terra natal de Rousseau e exceção republicana em uma Europa quase inteiramente monárquica – as coisas não transcorreram melhores, pois a obra, novamente junto com o *Emílio*, teve a mesma sorte: por decisão do Pequeno Conselho –, a instância executiva do governo genebrino – ambas foram condenadas à queima, assim como também foi determinada a prisão de seu autor.

Quando nos perguntamos pelas razões desses autos de fé, promovidos, aliás, por autoridades que estavam longe de se enquadrar entre as mais reacionárias e obscurantistas – Malhesherbes, afinal, era um protetor dos enciclopedistas, correspondente de Rousseau, e Genebra, no contexto da Europa do século XVIII, era uma cidade de instituições e costumes republicanos e relativamente liberais –, o primeiro ponto a considerar são as justificativas apresentadas imediatamente pelas autoridades coatoras. Nas decisões parisienses falava-se "de uma obra das trevas", de uma "espantosa obscuridade", na qual constavam proposições tendentes a enfraquecer "o respeito dos povos por seus reis". No caso genebrino, a alegação foi a de que eram obras "temerárias, escandalosas, ímpias, tendentes a destruir a religião cristã e todos os governos".

Ora, o que se há de pensar dessas condenações, tão manifestamente apressadas e arbitrárias?

Se as avaliarmos da perspectiva que temos hoje, é indiscutível que fossem preconceituosas, excessivas e inteiramente injustificadas. No entanto, se as visualizarmos em suas próprias circunstâncias, então, ainda que se possa continuar a tê-las como obscurantistas e reacionárias, será forçoso reconhecer que o escândalo e o rigor que as caracterizavam refletia a já enorme preocupação das autoridades políticas com as consequências dos ventos novos que o Iluminismo estava a trazer para o autocrático contexto da Europa do século XVIII.

Na verdade, quando se tem em mente o que viria a ser o desfecho político da mudança intelectual então iniciada – a Revolução Francesa –, é preciso reconhecer que o temor das mudanças ideológicas então em curso tinha lá a sua razão de ser. Aliás, por essa mesma razão, a melhor refletir, não parece que essa metáfora do *vento novo* seja aqui a mais adequada, pois não parece forte o bastante para dar o devido realce a tudo o que estava sendo posto em jogo na renovação intelectual que se desenvolvia naqueles anos. A verdade é que o *Emílio* e, muito especialmente, *O Contrato Social* traziam uma teoria da organização social e dos fundamentos da ordem política que contradizia *in totum* os princípios estruturadores das sociedades do Antigo Regime, não sendo de estranhar que tivessem sido recebidas como obras altamente subversivas.

***

Atualmente, depois da enorme difusão das teses marxistas a respeito do caráter superestrutural das ideias e da dependência do universo ideológico das determinações da infraestrutura econômica, tem se tornado difícil admitir que mudanças no universo conceitual possam ser historicamente decisivas, e ocorre frequentemente que a importância do que acontece no âmbito da história das ideias nos passe inteiramente desapercebida.

Em casos como o que estamos considerando aqui, no entanto, não há como deixar de ver a importância crucial do que era colocado em jogo pelos tratados rousseaunianos e pela reação que eles provocaram. Pois é evidente que as profundas mudanças que viriam a se produzir nas formas políticas e nas instituições sociais em decorrência da Revolução Francesa seriam incompreensíveis se não tivessem sido precedidas pelo duplo trabalho de crítica intelectual e construção conceitual desenvolvido pelos grandes pensadores do século XVII e, sobretudo, do século XVIII, dentre os quais Rousseau desponta com grande destaque.

No caso do *Contrato Social*, pode-se dizer que já a primeira frase do primeiro capítulo – "O homem nasceu livre e por toda parte é posto a ferros" – é um exemplo conspícuo da excepcional força renovadora das teses rousseaunianas.

À primeira vista, se poderia pensar que essa frase não era mais do que uma constatação contestável, um exagerado juízo factual sobre a situação de opressão em que se encontraria a maior parte dos homens. No entanto, a posição expressa por Rousseau tinha outro alcance, pois implicava sustentar, normativamente, que em todos os casos em que – independentemente da situação de maior ou menor opressão existente nas diferentes sociedades – o povo tolera que representantes deliberem e legislem em seu lugar, estamos diante de um povo escravo, reconheça-o ele ou não. As implicações da posição ficam bem claras quando se atenta para o modo como Rousseau avalia o sistema político da Inglaterra: "O povo inglês pensa ser livre e muito se engana, pois só o é durante a eleição dos membros do parlamento; uma vez estes eleitos, ele é escravo, não é nada" (CS, III, XV).

Ora, essas afirmações, ouvidas não com a distraída atenção do leitor contemporâneo, mas com as responsabilidades de quem era governo em pleno século XVIII, constituíam-se em uma provocação agressiva: por autocráticas que fossem as monarquias da época, ou oligárquicos os raros regimes republicanos, e por excludentes que fossem tais regimes do envolvimento geral dos cidadãos nas questões de Estado, nenhum deles reconhecia a si próprio como um governo despótico cujos súditos estivessem na degradante situação de escravidão.

Seja como for, no contexto desta apresentação, o que agora cumpre notar é que esse breve exame da repercussão política imediata do *Contrato social*, a indicação sumária de por que razão foi ele imediatamente considerado como francamente subversivo, já abre o caminho de acesso ao núcleo doutrinário do tratado.

Com efeito, na base do juízo sobre a servidão política universal encontra-se o princípio, então absolutamente novo, da soberania popular: isto é, a tese de que o titular exclusivo do poder político soberano é o coletivo formado pelos cidadãos que, em acordo recíproco, decidem criar ou recriar uma cidade ao se colocarem, sem reservas ou restrições pessoais ou patrimoniais, sob a autoridade e a direção de uma vontade geral constituída por eles mesmos, exatamente ao ensejo e por meio desse compromisso de associação.

A novidade inaudita dessa tese mostra-se com mais facilidade se lembrarmos o que eram as doutrinas tradicionais do poder político e, principalmente, se levarmos na devida conta que, imemorialmente e em todos os quadrantes da experiência histórica dos homens, tinha-se como estabelecido que, em última análise, o título de quem governa assenta em uma ou outra forma de legitimação sobrenatural ou divina. Independentemente da pluralidade das formas de compreender e institucionalizar essa garantia sobrenatural, que muito variaram em um tempo multimilenar, o que aqui importa destacar é que, no contexto da história europeia, essa visão tradicional vestiu-se precocemente com os ouropéis da Escritura, apelando, por exemplo, ao capítulo IV do livro de Daniel, onde o poder incomparável de Nabucodonosor é colocado na dependência direta da vontade do Altíssimo, ou, de maneira certamente muito mais importante, à passagem do capítulo XIII da Epístola aos Romanos na qual São Paulo diz: "Todo homem se submeta às autoridades constituídas, pois não há autoridade que não venha de Deus, e as que existem foram estabelecidas por Deus".

Ora, diante de tal contexto, diante de instituições políticas cuja legitimidade assentava-se nessa espécie de justificação teológica do poder monárquico, percebe-se facilmente por que a posição rousseauniana – sintetizada no princípio de que a soberania é indivisível e inalienável, só cabendo falar-se de povo soberano nos casos em que os cidadãos exercem eles próprios, sem partilha, a totalidade das responsabilidades legislativas, inclusive as de escolha e controle das autoridades executivas –, representava uma ruptura radical no sentido mais extremo do termo. E isso porque ali, pela primeira vez, colocava-se o povo no lugar tradicionalmente reservado ao sagrado, passando-se assim a entender que a sociedade política não depende de nenhum princípio externo e que o poder político não haure sua legitimidade senão dos cidadãos, de sorte que a sociedade deve ser entendida como politicamente autossuficiente, justificando-se em e por si mesma, sendo, pois, imanentemente responsável pelo próprio destino.

***

Os desdobramentos dessa tese mestra do tratado são muitos – e todos igualmente inovadores. O primeiro e mais fundamental deles todos foi a criação do conceito de *vontade geral*. Despojado de seus aspectos técnicos, esse conceito quer simplesmente dizer que, uma vez que os indivíduos se emancipem e gerem contratualmente a sociedade a que pertencerão, segue-se que a voz de comando em todos os assuntos de interesse coletivo tem que ser a voz dos que integram o coletivo político – voz que não pode ser mais do que a expressão estrita e fiel do querer conjunto de todos os cidadãos.

Em sua ponta polêmica, esse conceito se opõe ao particularismo constitutivo do exercício do poder em todos aqueles casos em que o povo, conformando-se em ficar aquém de si mesmo, entrega a titularidade do poder político à autoridade externa a si, independentemente de que isso ocorra por submissão a forças políticas usurpadoras, ou pela indevida delegação desse poder originário a uma ou outra forma de poder representativo. Em tais casos, essa é a lição de Rousseau, a vontade política dominante é a vontade de alguns, e é a essa vontade particular – só por isso necessariamente opressiva – que se encontram submetidos os cidadãos.

Se, no entanto, considerarmos o conceito de vontade geral em si mesmo, positivamente, o primeiro a notar é que Rousseau determina-lhe o sujeito como sendo o "ser moral e coletivo" gerado pelo ato de associação pelo qual é fundado o Estado, ser este que, embora abstrato, deve ser reconhecido como constituindo uma espécie de "eu comum" (CS, I, VI). Em segundo lugar, a vontade geral – em razão, justamente, do caráter associativo e comunitário da pessoa da qual ela é vontade –, tem necessariamente por objeto o *interesse coletivo*, aliás, em contraste direto e manifesto com as vontades dos indivíduos que a integram, os quais, considerados não no exercício de sua função pública de cidadãos, mas em sua vida particular, não visam senão seus interesses privados, assimetria que resulta de que ambas as vontades – a geral e as particulares – se encontram submetidas ao mesmo princípio: o de que "a vontade tende sempre ao bem do ser que quer".*

Em terceiro lugar, cumpre notar que a *vontade geral* tem um estatuto complexo, não podendo ser simplesmente identificada com a *vontade de todos*, pois Rousseau admite expressamente que pode muito bem ocorrer que, embora unânime, a vontade coletiva não se qualifique como vontade geral. A razão é que a vinculação necessária da vontade geral com o interesse comum – que constitui o interesse próprio do ser coletivo gerado pelo contrato – passa necessariamente pela identificação adequada de qual seja esse interesse de todos; e esse momento cognitivo do processo de determinação do conteúdo da vontade geral, conforme ensina o *Contrato*, abre espaço para a ilusão e para o erro.

Com efeito, segundo a lição de Rousseau, há pelo menos duas condições que precisam ser satisfeitas se se quiser obter uma manifestação autêntica da vontade geral:

---

* V. J.-J. Rousseau, Manuscrito de Genebra, I, IV, *in Oeuvres complètes III*, Gallimard, Paris, 1964, p. 295. Este é o nome dado à primeira versão, parcial e não publicada de *O Contrato Social*.

Apresentação / 13

a primeira é que sejam submetidas à sua deliberação unicamente questões gerais; a segunda é que o corpo coletivo seja consultado distributivamente, de modo que cada cidadão fale por si, sem as cabalas, as ligas e os partidos que reduzem o número das apreciações independentes e desvirtuam o caráter universal da manifestação cidadã. Em terceiro lugar, o sucesso na determinação da vontade geral autêntica depende da educação e do esclarecimento do povo, pois é da inteligência deste que depende a identificação de onde, em cada circunstância, reside exatamente o interesse coletivo.

Aliás, é por essa razão, como também em decorrência das grandes limitações e dificuldades que o povo tem para avaliar corretamente as implicações e os desdobramentos de suas deliberações – as quais, como diz o Manuscrito de Genebra, exigem que se visualize e calcule de antemão consequências benéficas ou danosas que só se revelarão muito mais tarde –, que Rousseau recomenda que a deliberação soberana do corpo de cidadãos seja precedida e inspirada pela lição de um verdadeiro Legislador. Esse personagem, não integrando ele próprio o corpo social, deve ser capaz de tomar distância dos interesses imediatos, das pressões conjunturais, e ter a inteligência e, sobretudo, a isenção necessárias para refletir objetiva, desinteressada e clarividentemente sobre situações futuras. Na verdade, essa figura deve ser vista como uma espécie de educador coletivo, ao qual, no entanto, convém insistir, não deve ser atribuído nenhum poder, uma vez que suas recomendações adquirem autoridade justamente na medida de seu distanciamento, de sua não participação na construção real e efetiva da cidade, razão pela qual, aliás, seria um erro total tomar o Legislador rousseauniano como uma espécie de pai da pátria.

Outra consequência importante do conceito de vontade geral – ao leitor leigo, quem sabe inesperada – é que ela tem que ser reconhecida como incompatível com o exercício do poder executivo. A razão é que este último, à diferença do poder legislativo, não pode deixar de enfrentar o desdobramento particularizado das decisões coletivas. Seja, por exemplo, quando taxa indivíduos concretos e deles cobra, individualizadamente, sua quota no financiamento do Estado, seja quando – na implementação de suas políticas – toma decisões que beneficiam mais a uns do que a outros, assim como também ocorre com as funções judiciárias, em cujo exercício a decisão é sempre sobre uma questão específica, envolvendo interesses particulares e individualizados. Aliás, é por isso que, no trabalho de modelagem das instituições políticas ideais, Rousseau separa, da maneira mais clara e taxativa possível, o exercício da soberania do exercício das funções de Governo. Diz *O Contrato Social*:

> Vimos que o poder legislativo pertence ao povo e só pode pertencer a ele. É fácil perceber, ao contrário, pelos princípios estabelecidos acima, que o poder executivo não pode pertencer à generalidade enquanto legisladora ou soberana, porque esse poder consiste apenas em atos particulares que não são da alçada da lei nem, portanto, da do Soberano, cujos atos, todos, só podem ser leis. (CS, III, I)

A consequência é que compete ao Governo, entendida a palavra como designadora do poder executivo, *fazer a ponte* entre o soberano – isto é, entre o corpo dos cidadãos considerados enquanto unificados no exercício de suas responsabilidades e direitos políticos – e os cidadãos considerados privadamente e, portanto, na condição de súditos. No âmbito dessa macrodefinição funcional, cabe ao Governo a manutenção da ordem, a garantia da execução das leis, a arbitragem entre os interesses particulares conflitantes e a adoção das políticas que especificam e concretizam as deliberações coletivas sobre os melhores termos para a vida e para o convívio social.

Em função dessas coordenadas conceituais e institucionais, segue-se também que a escolha da forma política a ser adotada e impressa ao poder executivo – se democrática, aristocrática ou monárquica – é para Rousseau uma questão contingente, dependente da avaliação a ser feita em cada circunstância concreta. O que não o impede, porém, de enunciar os princípios de que (i) quanto maior o número de integrantes do poder executivo menos força e efetividade ele terá e de que (ii) quanto maior o corpo de cidadãos, mais concentrado e centralizado deve ser o poder executivo.

Não obstante essas regras gerais, a decisão sobre a forma do regime é, para Rousseau, uma questão a ser decidida não no plano dos princípios, mas em função de avaliações concretas, formalizadas e expressas em juízos prudenciais, que levem em conta o tamanho do corpo de cidadãos, seu grau de instrução, seu comportamento habitual, avaliações todas a serem colocadas sob a égide da advertência contida no título do capítulo VIII do Livro III do *Contrato Social*, que nos alerta de que não é "qualquer forma de governo que convém a qualquer país".

Outro ponto de destaque na doutrina rousseauniana, que decorre igualmente dos princípios gerais que acabamos de sumariar, é a visão quase desiludida de Rousseau sobre as condições concretas de manutenção dos bons princípios na organização do convívio social. É que lhe parece haver – independente da forma adquirida pelo poder executivo em um ou outro contexto –, um problema de fundo em toda a instituição política, um problema que decorre da própria natureza das relações entre o soberano e o governo. Com efeito, segundo seu parecer, tais relações seriam sempre potencialmente críticas, pois o governante – o titular do poder executivo – tende, espontânea e inexoravelmente, a procurar impor sua vontade ao povo soberano, em atropelo ao princípio de que ele é – e jamais deveria deixar de ser – simplesmente o instrumento da vontade geral.

Razão pela qual, do ponto de vista rousseauniano, a

organização política jamais repousa em paz, impondo-se ao soberano a necessidade permanente de zelar por sua prerrogativa. Somente assim ele garantirá que o Governo sirva à vontade geral e não descambe para o facciosismo e para o apoio a interesses particulares que, por uma razão ou outra, lhes sejam próximos.

***

Se, dando um passo atrás, olharmos agora com mais distanciamento e independência esse núcleo central da doutrina política de Rousseau, é forçoso reconhecer que há pelo menos três pontos que, desde então, constituem-se em aquisições permanentes da consciência política democrática e ilustrada.

O primeiro é a tese de que o fundamento do poder legítimo encontra-se no corpo dos cidadãos, que devem ser considerados como o princípio e o fim do exercício de todo e qualquer poder político. Independentemente de qualificações que possam ser feitas com relação a esse princípio, pode-se dizer que esta é base da soberania popular, cuja expressão mais pura se encontra nessas raras e valiosas páginas do *Contrato Social*.

O segundo é a compreensão de que, se a determinação concreta do que é o interesse coletivo envolve, irrenunciavelmente, a participação direta do corpo de cidadãos, de outra parte ela também requer um elemento cognitivo, uma apreensão adequada do que melhor atende ao interesse da comunidade.

O interessante e o singular aqui – se nos for permitido ir uma linha adiante da letra do tratado rousseauniano – é que o reconhecimento desse duplo aspecto do conceito de vontade geral, longe de ser um defeito de construção do *Contrato Social*, é um mérito maior da doutrina. Porque toda vida comunitária genuinamente democrática vive da participação dos cidadãos nas deliberações coletivas e, ao mesmo tempo, da possibilidade da crítica por parte da opinião pública quanto ao que é deliberado nas instâncias formais de ação política soberana e de ação governativa. O que significa dizer que ambas essas críticas estão legitimadas pelo próprio conceito de vontade geral, na medida em que este, em sua dimensão cognitiva ideal, deixa sempre espaço para que se conteste a congruência e a fidelidade ao interesse comum bem compreendido, tanto das deliberações coletivas quanto das políticas implementadas pela ação administrativa do governo.

O terceiro grande elemento que se pode extrair do legado doutrinário de Rousseau encontra-se na ideia, referida há pouco, de que o poder executivo, por razões de princípio – porque é chamado a decidir sobre questões particulares –, não pode nunca ser considerado como expressão direta da vontade geral.

Nesse caso, creio que a melhor lição a extrair da análise rousseauniana implica estendê-la e ajustá-la às circunstâncias atuais. A tese de Rousseau, acabamos de ver, é de que o caráter particular das questões sobre as quais o poder executivo é obrigado a decidir faz com que o soberano não possa assumir essas funções executivas sob pena de afastar-se da vontade geral e de deixar-se contaminar pelos interesses privados (CS, III, IV). A consequência disso é que o *Príncipe* – nome que *O Contrato Social* atribui ao poder executivo, quando considerado como uma corporação – exerce o poder em nome do soberano, presumindo-se que o faça de conformidade com a vontade geral, isto é, com a vontade soberana.

No entanto, dada a também já mencionada tendência do poder executivo de impor sua vontade ao soberano, segue-se que a organização das instituições de governo deve estabelecer mecanismos mediante os quais este soberano preveja seu controle e sua intervenção regulares e periódicos sobre o exercício do poder público, de modo a poder verificar em tempo hábil se as ações executivas estão efetivamente sendo realizadas em consonância com a vontade geral. Isso equivale a dizer, portanto, não apenas que a ação governativa sempre se faz sob a *presunção* de conformidade ao interesse coletivo e de uma adequada e eficaz promoção dele, mas também que a estrutura de governança, como hoje se costuma dizer, precisa dispor de mecanismos que assegurem a possibilidade permanente de censura e crítica aos governantes, assim como de substituição periódica desses comissionados aos quais foi delegado o emprego do poder e da força pública.

Ora, neste ponto convém assinalar que, nas circunstâncias contemporâneas, em que – contrariamente à lição de Rousseau – o próprio poder legislativo não é exercido pelo povo soberano, porém confiado aos representantes que compõem os corpos legislativos, deve-se estender também a estes as cautelas que no contexto do *Contrato Social* se julgavam indispensáveis com relação ao poder executivo. Ou seja, uma vez instituído o princípio da representação política, é preciso entender que os titulares da representação não podem ser vistos como idênticos ao povo soberano, nem suas deliberações podem ser consideradas como expressão autêntica da vontade geral, senão por presunção, cabendo, portanto, criar mecanismos políticos que controlem a ação parlamentar, sejam eles a fixação de prazo para os mandatos representativos e para a renovação de seus titulares, seja a previsão de mecanismos de consulta direta – plebiscitos ou referendos – ao soberano nas deliberações em que estejam em jogo os interesses mais fundamentais da vida social. Dito de modo mais concreto, isso significa que, contemporaneamente, um Estado verdadeiramente democrático precisa dispor, além das instâncias de expressão da opinião pública já aludidas, dos instrumentos de controle não apenas do poder executivo, mas também dos instrumentos de controle da ação dos corpos parlamentares e do exercício delegado da função legislativa.

***

Se compararmos agora a avaliação profundamente positiva que se acaba de fazer das contribuições doutrinárias de Rousseau com a reação das autoridades políticas de sua época, veremos bem quão profundo e eficaz foi o trabalho da grande Ilustração política, pois o que então era razão de escândalo hoje constitui a base sobre a qual se ergue a cultura democrática universal.

Por certo, nem tudo nas lições do *Contrato* resistiu da mesma maneira à evolução conceitual e institucional das formas políticas ocorrida nos dois séculos e meio que nos distanciam do momento de sua publicação original. Assim, para dar não mais que um exemplo, hoje já não se vê como possam as instituições políticas abrir mão dos instrumentos de representação política. Também parece injustificada e anacrônica a recusa de Rousseau à formação dos partidos e, em geral, à constituição de corpos intermediários, voltados à discussão das questões de interesse público. E isso, senão por outras razões, porque já não se admite que a "infinita dispersão dos votantes", para usar uma expressão de Sartre*, seja a melhor maneira de determinar o conteúdo autêntico da vontade geral.

Contudo, a despeito do distanciamento que hoje possamos ter com relação à letra do *Contrato Social*, continua a ser verdadeiro que acessar em primeira mão esses pensamentos fundadores, além de um passo absolutamente indispensável na formação de uma cultura política digna desse nome, constitui uma experiência intelectual de grande intensidade. É esse privilégio intelectual que a leitura desta obra proporcionará a todos quantos se disponham a acompanhar Rousseau na sondagem profunda dos verdadeiros fundamentos do pensamento republicano moderno.

Junho de 2007

---

* SARTRE, Jean-Paul. *Élections, piège à cons*. Le Temps Moderne, nº 318, janeiro de 1973, p. 1.100.

O CONTRATO SOCIAL

*foederis aequas
Dicamus legis.*

Virgílio, *Eneida*, XI.*

---

* "(...) justas leis ditadas, em amizade e em paz nos federemos". Tradução de Odorico Mendes. (N.E.)

Advertência

Este pequeno tratado é extraído de uma obra mais extensa, empreendida outrora sem que eu tivesse consultado minhas forças e abandonada há muito tempo. Dos diversos trechos que podiam ser extraídos do que estava feito, este é o mais considerável e pareceu-me o menos indigno de ser oferecido ao público. O resto não existe mais.

Livro I

Quero saber se na ordem civil pode haver alguma regra de administração legítima e segura, tomando os homens tais como são e as leis tais como podem ser. Procurarei aliar sempre, nesta investigação, o que o direito permite com o que o interesse prescreve a fim de que a justiça e a utilidade não fiquem divididas.

Entro na matéria sem provar a importância do meu tema. Perguntar-me-ão se sou príncipe ou legislador para escrever sobre a política. Respondo que não e que é por isso que escrevo sobre a política. Se eu fosse príncipe ou legislador, não perderia meu tempo em dizer o que deve ser feito: eu faria, ou me calaria.

Nascido cidadão de um Estado livre e membro do soberano* por menor influência que possa ter minha voz nas questões públicas, o direito de votar basta para impor-me o dever de instruir-me a respeito delas, feliz, sempre que medito sobre os governos, de sempre encontrar em meus estudos novas razões para amar o governo de meu país!

Capítulo I

Tema deste primeiro livro

O homem nasceu livre e em toda parte é posto a ferros. Quem se julga o senhor dos outros não deixa de ser tão escravo quanto eles. Como se produziu essa mudança? Ignoro. O que pode torná-la legítima? Acredito poder resolver essa questão.

Se considerasse apenas a força e o efeito que dela deriva, eu diria: quando um povo é obrigado a obedecer e obedece, ele faz bem; assim que pode sacudir o jugo e o

---

* O povo de Genebra e, mais particularmente, o Conselho Geral. (N.T.)

sacode, faz melhor ainda; pois, ao recobrar sua liberdade pelo mesmo direito com que ela lhe foi tomada, esse povo ou tem razão de retomá-la, ou não havia razão alguma de tirá-la. A ordem social é um direito sagrado que serve de base a todos os outros. No entanto, esse direito não vem da natureza, ele está fundado sobre convenções. Trata-se, pois, de saber quais são essas convenções. Antes de passar a isso, devo estabelecer o que acabo de propor.

Capítulo II

Das primeiras sociedades

A mais antiga de todas as sociedades e a única natural é a da família. Mesmo assim, os filhos só estão ligados ao pai enquanto precisam dele para sobreviver. Tão logo cessa tal necessidade, esse vínculo natural se dissolve. Os filhos, isentos da obediência que devem ao pai, o pai, isento dos cuidados que deve aos filhos, voltam a ser igualmente independentes. Se continuam unidos, não é mais naturalmente, é voluntariamente, e a própria família só se mantém por convenção.

Essa liberdade comum é uma consequência da natureza do homem. Sua primeira lei é zelar por sua própria conservação, seus primeiros cuidados são os que deve a si mesmo; assim que alcança a idade da razão, sendo ele o único juiz dos meios apropriados para garantir sua sobrevivência, torna-se com isso seu próprio mestre.

Portanto, a família é, se quiserem, o primeiro modelo das sociedades políticas; o chefe é a imagem do pai, o povo, a imagem dos filhos, e todos, tendo nascido iguais e livres, só alienam sua liberdade em proveito próprio. A diferença é que, na família, o amor dos pais pelos filhos vale pelos cuidados que dispensa a eles, enquanto, no Estado, o prazer de comandar substitui esse amor, que o chefe não tem por seu povo.

Grotius* nega que todo poder humano seja estabelecido em favor dos que são governados: cita como exemplo a escravidão. Sua maneira mais constante de raciocinar é estabelecer sempre o direito pelo fato**. Poder-se-ia empregar um método mais consequente, porém, não tão favorável aos tiranos.

É duvidoso, segundo Grotius, se o gênero humano pertence a uma centena de homens, ou se essa centena de homens pertence ao gênero humano, e em todo o seu livro*** ele parece tender à primeira suposição: esse é também o sentimento de Hobbes. Temos assim a espécie humana dividida em manadas de bois, cada qual com seu chefe, que os guarda para devorá-los.

Do mesmo modo que um pastor é de natureza superior à de seu rebanho, os pastores de homens, que são os chefes, são também de uma natureza superior à de seus povos. Assim raciocinava, segundo relato de Filo****, o imperador Calígula, concluindo facilmente a partir dessa analogia que os reis eram deuses ou que os povos eram animais.

O raciocínio de Calígula equivale ao de Hobbes e de Grotius. Antes de todos eles, Aristóteles dissera que os homens não são naturalmente iguais, mas que uns nascem para a escravidão e outros, para a dominação.

Aristóteles tinha razão, mas ele tomava o efeito pela causa. Todo homem nascido na escravidão nasce para a escravidão, nada mais certo. Os escravos perdem tudo em suas cadeias, até mesmo o desejo de sair delas: amam a servidão como os companheiros de Ulisses amavam o embruteci-

---

* Hugo Grotius (1583-1645), jurisconsulto e diplomata holandês. (N.T.)

** "As eruditas pesquisas sobre o direito público geralmente não são mais que a história dos antigos abusos, e é uma obstinação descabida dar-se ao trabalho de estudá-las demais." (*Traité manuscrit des intérêts de la Fr. avec ses voisins; par le M. L. M. d'A* [marquês d'Argenson]). Eis aí precisamente o que fez Grotius. (N.A.)

*** *O direito da paz e da guerra*, 1625. (N.T.)

**** Filo de Alexandria. (N.T.)

mento*. Portanto, se há escravos por natureza, é porque houve escravos contra a natureza. A força fez os primeiros escravos, a covardia os perpetuou na escravidão.

Nada falei do rei Adão nem do imperador Noé, pai de três grandes monarcas que dividiram entre si o Universo, como o fizeram os filhos de Saturno, que muitos julgaram reconhecer neles. Espero que apreciem minha moderação, pois, descendendo diretamente de um desses príncipes, e talvez do ramo mais antigo, será que eu não poderia considerar-me, feita a verificação dos títulos, o legítimo rei do gênero humano? Seja como for, não se pode negar a soberania de Adão sobre o mundo, assim como a de Robinson em sua ilha, enquanto ele foi seu único habitante; e o que havia de cômodo nesse império era que o monarca assegurado no trono não precisava temer rebeliões, nem guerras, nem conspiradores.

Capítulo III
Do direito do mais forte

O mais forte nunca é bastante forte para ser sempre o senhor se não transformar sua força em direito e a obediência em dever. Daí o direito do mais forte; direito tomado aparentemente com ironia e, na realidade, estabelecido como princípio. Mas será que nunca nos explicarão essa palavra? A força é um poder físico; não vejo que moralidade pode resultar de seus efeitos. Ceder à força é um ato de necessidade, não de vontade; quando muito, é um ato de prudência. Em que sentido poderá ser um dever?

Suponhamos por um momento esse pretenso direito. Afirmo que dele resulta um inexplicável imbróglio. Quando é a força que faz o direito, o efeito substitui a causa; toda força que sobrepuja a primeira sucede-a em

---

* Ver um pequeno tratado de Plutarco intitulado *Como os animais usam a razão*. (N.A.)

seu direito. Quando se pode desobedecer impunemente, pode-se fazê-lo legitimamente e, já que o mais forte tem razão sempre, trata-se apenas de buscar ser o mais forte. Ora, que direito é esse que perece quando cessa a força? Se é preciso obedecer por força, não há necessidade de obedecer por dever; e, se não somos mais forçados a obedecer, não estamos mais obrigados a isso. Vê-se, portanto, que a palavra direito nada acrescenta à força; aqui, ela não significa absolutamente nada.

Obedeçam aos poderosos. Se isso quer dizer cedam à força, o preceito é bom, mas supérfluo; afirmo que ele jamais será violado. Todo poder vem de Deus, admito, mas toda doença também. Isso significa que é proibido chamar o médico? Digamos que um bandido surpreenda-me num bosque: devo não apenas por força dar-lhe a bolsa, mas também, mesmo que pudesse subtraí-la, estou obrigado por consciência a dá-la, pois afinal a pistola que ele segura é igualmente um poder.

Convenhamos, portanto, que força não faz direito e que somos obrigados a obedecer apenas aos poderes legítimos. Assim retorno à minha questão inicial.

Capítulo IV

Da escravidão

Já que nenhum homem tem uma autoridade natural sobre seu semelhante e já que a força não produz nenhum direito, restam as convenções como base de toda autoridade legítima entre os homens.

Se um indivíduo, diz Grotius, pode alienar sua liberdade e tornar-se escravo de um senhor, por que um povo inteiro não poderia alienar a sua e tornar-se súdito de um rei? Há aí muitas palavras equívocas que exigiriam explicação, porém atenhamo-nos à palavra *alienar*. Alienar é dar ou vender. Ora, um homem que se faz escravo de um outro não se dá, quando muito se vende para sua subsistência: mas um povo, por que se venderia? Um rei, longe de fornecer a seus súditos a subsistência, retira a sua deles, e, segundo Rabelais, um rei não vive com pouco. Então, os súditos dão sua pessoa com a condição de que lhe tomem também seus bens? Não vejo o que lhes resta a conservar.

Dirão que o déspota assegura a seus súditos a tranquilidade civil. Que seja assim, mas o que eles ganham com isso, se as guerras que a ambição do déspota provoca, se sua insaciável avidez, se as humilhações impostas por seu ministério os arruínam mais do que o fariam suas dissensões? O que eles ganham se essa tranquilidade mesma é uma de suas misérias? A vida também é tranquila nos cárceres; será o bastante para que ali se viva bem? Os gregos presos no antro do Ciclope viviam tranquilos, à espera de chegar sua vez de serem devorados.

Dizer que um homem se dá gratuitamente é dizer uma coisa absurda e inconcebível; tal ato é ilegítimo e nulo, simplesmente porque quem o faz não se encontra em bom juízo. Dizer o mesmo de todo um povo é supor um povo de loucos: a loucura não constitui direito.

Ainda que cada um pudesse alienar-se a si mesmo, não poderia alienar seus filhos; estes nascem homens e livres, sua liberdade lhes pertence, ninguém mais tem o direito de dispor dela. Antes de chegarem à idade da razão, o pai pode em nome deles estipular condições para a sua conservação, para o seu bem-estar, porém não dá-las de maneira irrevogável e incondicional, pois tal doação é contrária aos fins da natureza e vai além dos direitos da paternidade. Assim, para que um governo arbitrário fosse legítimo, seria preciso que a cada geração o povo fosse senhor de admiti-lo ou de rejeitá-lo: mas então esse governo não seria mais arbitrário.

Renunciar à liberdade é renunciar à condição de homem, aos direitos da humanidade, e, inclusive, aos seus deveres. Não há reparação possível para alguém que renuncia a tudo. Uma tal renúncia é incompatível com a natureza do homem, e tirar toda liberdade de sua vontade é tirar toda moralidade de suas ações. Enfim, é uma convenção vã e contraditória estipular, de um lado, uma autoridade absoluta e, de outro, uma obediência sem limites. Acaso não é claro que não há compromisso algum com aquele de quem se tem o direito de exigir tudo, e essa simples condição, sem equivalente, sem troca, não ocasiona a nulidade do ato? Pois que direito meu escravo teria contra mim se tudo o que é seu me pertence? E, sendo meu o direito dele, esse direito meu contra mim mesmo é uma palavra que tem algum sentido?

Grotius e outros tiram da guerra uma outra origem do pretenso direito de escravidão. Tendo o vencedor, segundo eles, o direito de matar o vencido, este pode resgatar a própria vida à custa de sua liberdade; convenção que seria tanto mais legítima por beneficiar os dois.

Mas é claro que esse pretenso direito de matar os vencidos não resulta de maneira alguma do estado de guerra. Pelo simples fato de os homens, em sua primitiva independência, não terem entre si relação suficientemente constante para constituir nem o estado de paz nem o estado de guerra, eles não são naturalmente inimigos. É a relação das coisas e não dos homens que constitui a guerra; e, não podendo o estado de guerra nascer de simples relações pessoais, mas somente de relações reais, a guerra privada ou de homem a homem não pode existir nem no estado de natureza, onde não há propriedade constante, nem no estado social, onde tudo está sob a autoridade das leis.

Os combates particulares, os duelos, as refregas são atos que não constituem um estado; quanto às guerras privadas, autorizadas pelas leis de Luís IX, rei da França, e suspensas pela Paz de Deus, são abusos do governo feudal, sistema absurdo como nunca houve outro igual, contrário aos princípios do direito natural e a toda boa *politia*.*

A guerra, portanto, não é uma relação de homem a homem, mas de Estado a Estado, na qual os indivíduos só

---

* Termo latino correspondente ao grego *politeía*, forma de governo. Em uma carta ao editor, Rousseau insiste que o termo não seja substituído por "política". (N.T.)

são inimigos acidentalmente, não como homens nem mesmo como cidadãos, mas como soldados; não como membros da pátria, mas como seus defensores. Enfim, cada Estado só pode ter como inimigos outros Estados e não homens, visto que entre coisas de naturezas diversas não se pode fixar nenhuma relação verdadeira.

Esse princípio está inclusive de acordo com as máximas estabelecidas em todos os tempos e com a prática constante de todos os povos civilizados. As declarações de guerra são avisos feitos menos às potências do que a seus súditos. O estrangeiro, seja rei, indivíduo ou povo, que rouba, mata ou detém os súditos sem declarar guerra ao príncipe, não é um inimigo, é um bandido. Mesmo em plena guerra, um príncipe justo apodera-se em país inimigo de tudo o que pertence ao público, mas respeita a pessoa e os bens dos indivíduos; respeita direitos sobre os quais estão fundados os seus. Sendo a finalidade da guerra a destruição do Estado inimigo, tem-se o direito de matar seus defensores enquanto estiverem com armas na mão; porém, tão logo as depuserem e se renderem, cessando de ser inimigos ou instrumentos do inimigo, voltam simplesmente a ser homens e não se tem mais o direito sobre a vida deles. Às vezes, é possível matar o Estado sem matar um único de seus membros. Ora, a guerra não concede nenhum direito que não seja necessário à sua finalidade. Esses princípios não são os de Grotius, não estão fundados na autoridade de poetas, mas derivam da natureza das coisas e estão fundados na razão.

Quanto ao direito de conquista, ele não tem outro fundamento senão a lei do mais forte. Se a guerra não dá ao vencedor o direito de massacrar os povos vencidos, esse direito, que ele não tem, não pode fundar o de escravizá-los. Só se tem o direito de matar o inimigo quando não se pode fazê-lo escravo; o direito de fazê-lo escravo, portanto, não vem do direito de matá-lo: assim, é uma troca iníqua fazê-lo comprar ao preço de sua liberdade uma vida sobre a qual não se tem direito algum. Ao estabelecer o direito de vida e de morte sobre o direito de escravidão, e o direito de escravidão sobre o direito de vida e de morte, não fica claro que se cai num círculo vicioso?

Mesmo supondo esse terrível direito de tudo matar, afirmo que um escravo feito na guerra ou um povo conquistado não têm a menor obrigação para com o seu senhor, a não ser obedecer-lhe enquanto forem forçados a isso. O vencedor não concedeu nenhum favor ao tomar-lhes um equivalente à sua vida: em vez de matar sem proveito, matou utilmente. Portanto, longe de ter adquirido alguma autoridade além da força, o estado de guerra subsiste como antes, a relação entre eles é mesmo o efeito desse estado, e o uso do direito de guerra não supõe nenhum tratado de paz. Foi feita uma convenção, que seja; porém, essa convenção, longe de destruir o estado de guerra, supõe sua continuidade.

Assim, de qualquer forma que encaremos as coisas, o direito de escravo é nulo, não apenas porque é ilegítimo, mas porque é absurdo e nada significa. As palavras *escravidão* e *direito* são contraditórias, excluem-se mutuamente. Seja de homem a homem, seja de um homem a um povo, esse discurso será sempre igualmente insensato. *Faço contigo uma convenção inteiramente a teu encargo e inteiramente em meu proveito, que observarei enquanto me agradar e que observarás enquanto me agradar.*

Capítulo V

Da necessidade de sempre remontar a uma primeira convenção

Mesmo que eu concordasse com tudo o que refutei até aqui, os promotores do despotismo não estariam em melhor posição. Haverá sempre uma grande diferença entre submeter uma multidão e dirigir uma sociedade. Que homens esparsos, não importa quantos forem, sejam sucessivamente subjugados a um só, vejo nisso apenas um senhor e escravos, não vejo um povo e seu chefe; trata-se, se quiserem, de uma agregação, não de uma associação; não existe aí nem bem público nem corpo político. Esse homem, ainda que subjugasse a metade do mundo, continuaria sendo um indivíduo; seu interesse, separado do dos outros, continua sendo um interesse privado. Se esse mesmo homem vier a morrer, seu império continuará esparso e sem ligação, como um carvalho desfeito num monte de cinzas depois que o fogo o consumiu.

Um povo, diz Grotius, pode dar-se a um rei. Assim, segundo Grotius, um povo é um povo antes de dar-se a um rei. Essa doação mesma é um ato civil, supõe uma deliberação pública. Portanto, antes de examinar o ato pelo qual um povo elege um rei, seria bom examinar o ato pelo qual um povo é um povo. Pois esse ato, sendo necessariamente anterior ao outro, é o verdadeiro fundamento da sociedade.

De fato, se não houvesse alguma convenção anterior, onde estaria, a menos que a eleição fosse unânime, a obrigação da minoria de submeter-se à escolha da maioria? E como se explica que cem pessoas que querem um senhor tenham o direito de votar por dez que não o querem? A lei da pluralidade dos sufrágios é ela própria um estabelecimento de convenção e pressupõe, pelo menos uma vez, a unanimidade.

Capítulo VI
Do pacto social

Suponho os homens chegados a um ponto em que os obstáculos prejudiciais à sua conservação no estado de natureza vencem, por sua resistência, as forças que cada indivíduo pode empregar para manter-se nesse estado. Esse estado primitivo, então, não pode mais subsistir, e o gênero humano pereceria se não mudasse sua maneira de ser.

Ora, como os homens não podem engendrar novas forças, mas somente unir e dirigir as que existem, eles não têm outro meio para se conservar senão formar por agregação uma soma de forças que possa prevalecer sobre a resistência, colocá-las em jogo por uma só motivação e fazê-las agir de comum acordo.

Essa soma de forças só pode nascer da cooperação de muitos: porém, sendo a força e a liberdade de cada homem os primeiros instrumentos de sua conservação, como ele as empenhará sem prejudicar-se e sem negligenciar os cuidados que deve a si mesmo? Essa dificuldade, retornando ao meu tema, pode ser enunciada nos seguintes termos.

"Encontrar uma forma de associação que defenda e proteja com toda a força comum a pessoa e os bens de cada associado, e pela qual cada um, ao unir-se a todos, obedeça somente a si mesmo e continue tão livre quanto antes." Esse é o problema fundamental para o qual o contrato social oferece a solução.

As cláusulas desse contrato são determinadas de tal maneira pela natureza do ato que a menor modificação as tornaria vãs e de efeito nulo; de modo que, embora talvez jamais tenham sido formalmente enunciadas, elas são em toda parte as mesmas, em toda parte tacitamente aceitas e reconhecidas; tanto é assim que, se o pacto social for violado, cada um volta a seus primeiros direitos e retoma sua liberdade natural, perdendo a liberdade convencional pela qual renunciou àquela.

Essas cláusulas, bem compreendidas, reduzem-se todas a uma só, a saber: a alienação total de cada associado, com todos os seus bens, à comunidade inteira. Em primeiro lugar, como cada um se dá por inteiro, a condição é igual para todos e, sendo igual a condição para todos, ninguém tem interesse em torná-la onerosa aos outros.

Além disso, sendo a alienação feita sem reserva, a união é tão perfeita quanto pode ser, e nenhum associado tem mais nada a reclamar; pois, se restassem alguns direitos aos indivíduos, e não havendo um superior comum que pudesse decidir entre eles e o público, cada um, sendo de certo modo seu próprio juiz, logo pretenderia sê-lo de todos; o estado de natureza subsistiria e a associação se tornaria necessariamente tirânica ou vã.

Enfim, cada um, dando-se a todos, não se dá a ninguém, e, como não há um associado sobre o qual não se adquira o mesmo direito que lhe concedem sobre cada um, ganha-se o equivalente de tudo o que se perde e mais força para conservar o que se tem.

Portanto, se afastarmos do pacto o que não é de sua essência, veremos que ele se reduz aos seguintes termos. *Cada um de nós põe em comum sua pessoa e todo o seu poder sob a suprema direção da vontade geral; e recebemos, enquanto corpo, cada membro como parte indivisível do todo.*

Imediatamente, no lugar da pessoa particular de cada contratante, esse ato de associação produz um corpo moral e coletivo composto de tantos membros quantas forem as vozes da assembleia, corpo que recebe por esse mesmo ato sua unidade, seu eu comum, sua vida e sua vontade. Essa pessoa comum assim formada pela união de todas as outras tinha outrora o nome de Cidade* e tem agora o nome de República ou de corpo político, o qual é chamado por seus

---

* O verdadeiro sentido dessa palavra apagou-se quase inteiramente entre os modernos; em sua maior parte, eles tomam um burgo por uma Cidade e um burguês por um cidadão. Não sabem que as casas fazem o burgo, mas que os cidadãos fazem a Cidade. Esse mesmo erro custou caro, outrora, aos cartagineses. Nunca li que o título de *cives* tenha sido dado aos súditos de algum príncipe, nem antigamente aos macedônios, nem em nossos dias aos ingleses, embora mais próximos da liberdade que todos os demais. Apenas os franceses adotam muito familiarmente o nome de *cidadãos*, por não fazerem uma ideia verdadeira disso, como se pode ver em seus dicionários, sem o que cometeriam, por usurpá-lo, o crime de lesa-majestade: para eles, esse nome exprime uma virtude e não um direito. Quando Bodin quis falar de nossos cidadãos e burgueses, ele cometeu um grande erro ao tomar uns pelos outros. O sr. d'Alembert não se enganou nesse ponto e distinguiu claramente, em seu artigo sobre *Genebra*, as quatro ordens de homens (até mesmo cinco, incluindo aí os simples estrangeiros) que existem em nossa cidade e das quais somente duas compõem a República. Nenhum outro autor francês, que eu saiba, compreendeu o verdadeiro sentido da palavra *cidadão*. (N.A.)

membros Estado, quando passivo, Soberano, quando ativo, Potência, quando comparado a seus semelhantes. Quanto aos associados, eles tomam coletivamente o nome de povo e chamam-se em particular Cidadãos, quando participam da autoridade soberana, e Súditos quando estão submetidos às leis do Estado. Contudo, esses termos confundem-se com frequência e são tomados um pelo outro; basta saber distingui-los quando são empregados com toda a sua precisão.

Capítulo VII
Do soberano

Vemos por essa fórmula que o ato de associação encerra um compromisso recíproco do público com os indivíduos e que cada um deles, ao contratar, por assim dizer, consigo mesmo, vê-se comprometido sob um duplo aspecto: como membro do Soberano em relação aos demais indivíduos e como membro do Estado em relação ao Soberano. Mas não se pode aplicar aqui a máxima do direito civil de que ninguém é obrigado aos compromissos assumidos consigo mesmo, pois há muita diferença entre obrigar-se para consigo ou para com um todo do qual se faz parte.

Cumpre observar ainda que a deliberação pública, que pode obrigar todos os súditos para com o Soberano, por causa das duas diferentes relações sob as quais cada um deles é considerado, não pode, pela razão contrária, obrigar o Soberano para consigo mesmo e que, portanto, é contra a natureza do corpo político que o Soberano se imponha uma lei que ele não possa infringir. Não podendo ser considerado senão sob uma única e mesma relação, ele se encontra então no caso de um indivíduo que contrata consigo mesmo: donde se percebe que não há nem pode haver nenhuma espécie de lei fundamental obrigatória para o corpo do povo, nem mesmo o contrato social. O que não significa que esse corpo não possa comprometer-se com outrem naquilo que não anula esse contrato, já que, do ponto de vista do estrangeiro, ele se torna um ser simples, um indivíduo.

Mas o corpo político ou o Soberano, que só obtém seu ser da santidade do contrato, nunca pode obrigar-se, mesmo em relação a outrem, a nada que anule esse ato primitivo, como alienar uma porção de si mesmo ou submeter-se a um outro Soberano. Violar o ato pelo qual ele existe seria aniquilar-se, e o que nada é, nada produz.

Tão logo essa multidão se reúne num corpo, não se pode ofender um de seus membros sem atacar o corpo; muito menos ofender o corpo sem que os membros se ressintam. Assim, o dever e o interesse obrigam igualmente as duas partes contratantes a se ajudarem mutuamente, e os mesmos homens devem buscar reunir sob essa dupla relação todas as vantagens que dela dependem.

Ora, o Soberano, sendo formado apenas pelos indivíduos que o compõem, não tem nem pode ter interesse contrário ao deles; por conseguinte, o poder soberano não tem nenhuma necessidade de garantia para com os súditos, porque é impossível que o corpo queira prejudicar todos os seus membros, e veremos a seguir que ele não pode prejudicar um deles em particular. O Soberano, pelo simples fato de existir, é sempre tudo o que deve ser.

Contudo, o mesmo não acontece com os súditos em relação ao Soberano, a quem, apesar do interesse comum, ninguém responderia por seus compromissos se ele não tivesse meios de assegurar-lhes a fidelidade.

De fato, cada indivíduo pode, como homem, ter uma vontade particular contrária ou dessemelhante à vontade geral que tem como cidadão. Seu interesse particular pode lhe falar de um modo bem diferente que o interesse comum; sua existência absoluta e naturalmente independente pode fazê-lo considerar o que deve à causa comum como uma contribuição gratuita, cuja perda será menos prejudicial aos outros do que o pagamento é oneroso para ele; e, considerando a pessoa moral que é o Estado como um ser de razão, por não ser um homem, ele gozaria do direito do cidadão sem querer cumprir os deveres de súdito – injustiça cujo progresso causaria a ruína do corpo político.

Assim, para que o pacto social não seja um vão formulário, ele contém tacitamente este compromisso, o único capaz de dar força aos outros: todo aquele que se recusar a obedecer à vontade geral será forçado por todo o corpo a obedecer, o que não significa outra coisa senão que o forçarão a ser livre, pois tal é a condição que garante o cidadão, entregue à Pátria, de toda dependência pessoal. Essa condição constitui o artifício e o jogo da máquina política, sendo a única que torna legítimos os compromissos civis, os quais, sem isso, seriam absurdos, tirânicos e sujeitos aos maiores abusos.

Capítulo VIII
Do estado civil

A passagem do estado de natureza ao estado civil produz no homem uma mudança muito significativa, substituindo, em sua conduta, o instinto pela justiça e dando às suas ações a moralidade que antes lhes faltava. É somente então que, a voz do dever sucedendo ao impulso físico e o direito ao apetite, o homem, que até então só havia considerado a si mesmo, vê-se forçado a agir segundo outros princípios e a consultar a razão antes de escutar suas inclinações. Embora nesse estado ele se prive de várias vantagens oriundas da natureza, obtém outras igualmente grandes: suas faculdades se exercitam e se desenvolvem, suas ideias se ampliam, seus sentimentos se enobrecem, sua alma inteira se eleva a tal ponto que, se os abusos dessa nova condição não o degradassem muitas vezes abaixo daquela da qual saiu, ele deveria bendizer sem parar o instante feliz que o arrancou dali para sempre e que fez, de um animal estúpido e limitado, um ser inteligente e um homem.

Reduzamos todo esse balanço a termos fáceis de comparar. O que o homem perde pelo contrato social é sua liberdade natural e um direito ilimitado a tudo que o tenta e que ele pode atingir; o que ele ganha é a liberdade civil e a propriedade de tudo o que possui. Para não nos enganarmos nessas compensações, cumpre distinguir claramente a liberdade natural, que tem por limites apenas as forças do indivíduo, da liberdade civil, que é limitada pela vontade geral; e a posse, que não é senão o efeito da força ou do direito do primeiro ocupante, da propriedade que só pode estar fundada sobre um título positivo.

Ao que precede, poder-se-ia acrescentar a aquisição, no estado civil, da liberdade moral, a única que torna o homem verdadeiramente senhor de si, pois o impulso do simples apetite é escravidão, enquanto a obediência à lei a que se está prescrito é liberdade. Mas já falei bastante sobre esse ponto, e o sentido filosófico da palavra *liberdade* não é aqui o meu tema.

Capítulo IX
Do domínio real

Cada membro da comunidade dá-se a ela no momento em que ela se forma, tal como ele se encontra no momento presente, ele e todas as suas forças, das quais fazem parte os bens que possui. Não que por esse ato a posse mude de natureza ao mudar de mãos e torne-se propriedade nas mãos do Soberano; porém, como as forças da Cidade são incomparavelmente maiores que as de um indivíduo, a posse pública é, na prática, mais forte e mais irrevogável, sem ser mais legítima, ao menos para os estrangeiros. Pois, em relação a seus membros, o Estado é senhor de todos os seus bens pelo contrato social, que no Estado serve de base a todos os direitos, mas ele não o é em relação às outras Potências, senão pelo direito de primeiro ocupante tomado dos indivíduos.

O direito de primeiro ocupante, embora mais real que o do mais forte, só se torna um verdadeiro direito após o estabelecimento do de propriedade. Todo homem tem naturalmente direito a tudo o que lhe é necessário, mas o ato positivo que o faz proprietário de um bem o exclui de todo o resto. Estabelecida a sua parte, ele deve limitar-se a ela e não tem mais nenhum direito à comunidade. Eis por que o direito de primeiro ocupante, tão frágil no estado de natureza, é respeitável para todo homem civil. Nesse direito, respeita-se menos o que é de outrem do que o que não é seu.

Em geral, para autorizar num pedaço de terra qualquer o direito de primeiro ocupante, são requeridas as seguintes condições. Primeiro, que esse terreno não seja ainda habitado por ninguém; segundo, que se ocupe apenas a quantidade necessária para a subsistência; terceiro, que se tome posse não por uma vã cerimônia, mas pelo trabalho e pelo cultivo, único sinal de propriedade que, na falta de títulos jurídicos, deve ser respeitado por outrem.

De fato, dar à necessidade e ao trabalho o direito de primeiro ocupante não é estendê-lo tão longe quanto ele pode ir? Pode-se não estabelecer limites a esse direito? Bastará alguém pôr o pé num terreno comum para pretender-se imediatamente ser seu senhor? Bastará ter a força de afastar por um momento os outros homens para tirar-lhes o direito de reivindicá-lo? Como pode um homem ou um povo apoderar-se de um território imenso e dele privar todo o gênero humano senão por uma usurpação punível, pois ela retira do restante dos homens a moradia e os alimentos que a natureza lhes dá em comum? Quando Nuñez Balboa, na praia, tomou posse do mar do Sul e de toda a América meridional em nome da coroa de Castela, era isso o suficiente para desapossar todos os seus habitantes e excluir todos os príncipes do mundo? Sendo assim, tais cerimônias multiplicavam-se em vão, pois bastaria ao rei católico tomar posse de uma só vez, em seu gabinete, do universo inteiro, com a condição de expulsar a seguir de seu império o que antes era possuído pelos outros príncipes.

Concebe-se como as terras dos indivíduos reunidas e contíguas tornam-se território público e como o direito de soberania, estendendo-se dos súditos ao terreno que eles ocupam, torna-se ao mesmo tempo real e pessoal, o que coloca os possuidores numa maior dependência e faz de suas próprias forças a garantia de fidelidade. Vantagem que não parece ter sido bem compreendida pelos antigos monarcas que, ao se chamarem reis dos persas, dos citas, dos macedônios, pareciam considerar-se antes como chefes dos homens do que como senhores do país. Os de hoje chamam-se mais habilmente reis da França, da Espanha, da Inglaterra, etc. Ao dominarem assim o território, estão seguros de dominar seus habitantes.

O que há de singular nessa alienação é que a comunidade, ao aceitar os bens dos particulares em vez de despojá-los, não faz senão assegurar-lhes a legítima posse, transformando a usurpação em um verdadeiro direito e o gozo em propriedade. Com isso, os possuidores, considerados como depositários do bem público, tendo seus direitos respeitados por todos os membros do Estado e mantidos com todas as forças contra o estrangeiro, por uma cessão vantajosa ao público e mais ainda a si mesmos, adquirem, por assim dizer, tudo aquilo que deram. Paradoxo facilmente explicado pela distinção dos direitos que o soberano e o proprietário possuem sobre os mesmos bens, como se verá adiante.

Pode acontecer também que os homens comecem a unir-se antes de possuir alguma coisa e que, apoderando-se a seguir de um terreno suficiente para todos, usufruam dele conjuntamente ou o dividam entre si, de maneira igual ou segundo proporções estabelecidas pelo Soberano. Não importa como se faça essa aquisição, o direito que cada indivíduo tem sobre seu próprio bem é sempre subordinado ao direito que a comunidade tem sobre todos, sem o que não haveria solidez no vínculo social, nem força real no exercício da soberania.

Terminarei este capítulo e este livro com uma observação que deve servir de base a todo o sistema social: é que, ao contrário de destruir a igualdade natural, o pacto fundamental substitui por uma igualdade moral e legítima o que a natureza pode ter criado de desigualdade física entre os homens; podendo ser desiguais em força ou em gênio, eles se tornam todos iguais por convenção e direito*.

Fim do Livro I

---

* Sob os maus governos, essa igualdade é apenas aparente e ilusória; não serve senão para manter o pobre em sua miséria e o rico em sua usurpação. Na prática, as leis são sempre úteis aos que possuem e prejudiciais aos que nada têm. Donde se segue que o estado social só é vantajoso aos homens à medida que todos tenham alguma coisa e ninguém possua em excesso. (N.A.)

Livro II

Capítulo I
A soberania é inalienável

A primeira e a mais importante consequência dos princípios antes estabelecidos é que somente a vontade geral pode dirigir as forças do Estado segundo a finalidade de sua instituição, que é o bem comum: se a oposição dos interesses particulares tornou necessário o estabelecimento das sociedades, é a concordância desses mesmos interesses que o tornou possível. O que há de comum nesses diferentes interesses é que forma o vínculo social; se não houvesse algum ponto no qual todos os interesses se conciliam, nenhuma sociedade poderia existir. Ora, é somente a partir desse interesse comum que a sociedade deve ser governada.

Afirmo, portanto, que a soberania, não sendo senão o exercício da vontade geral, nunca pode alienar-se e que o soberano, que não é senão um ser coletivo, só pode ser representado por ele mesmo; o poder pode perfeitamente ser transmitido, mas não a vontade.

De fato, se não é impossível que uma vontade particular concorde em algum ponto com a vontade geral, é impossível ao menos que essa concordância seja durável e constante, pois a vontade particular tende por sua natureza às preferências, e a vontade geral tende à igualdade. É mais impossível ainda que se tenha uma garantia desse acordo, embora ele devesse existir sempre; isso não seria um resultado da arte, mas do acaso. O Soberano pode perfeitamente dizer "quero hoje o que quer determinado homem ou, pelo menos, o que ele diz querer", mas não pode dizer "o que esse homem quiser amanhã, também haverei de querer", pois é absurdo que a vontade se imponha cadeias em relação ao futuro, porque não depende de vontade alguma consentir em algo contrário ao bem do ser que deseja. Portanto, se o povo promete simplesmente obedecer, ele se dissolve por esse ato, perde sua qualidade de povo; no instante em que há um senhor, não há mais Soberano, e com isso o corpo político é destruído.

O que não quer dizer que as ordens dos chefes não possam ser tomadas por vontades gerais, desde que o Soberano, livre para opor-se a elas, não o faça. Nesse caso, do silêncio universal deve-se presumir o consentimento do povo. Isso será explicado mais adiante.

Capítulo II

A soberania é indivisível

Pela mesma razão que é inalienável, a soberania é indivisível. A vontade ou é geral*, ou não existe; ou é a vontade do corpo do povo, ou somente de uma parte. No primeiro caso, essa vontade declarada é um ato de soberania e constitui lei; no segundo, não é senão uma vontade particular ou um ato de magistratura; quando muito é um decreto.

Porém, nossos políticos, não podendo dividir a soberania em seu princípio, a dividem em seu objeto; dividem-na em força e em vontade, em poder legislativo e em poder executivo, em direitos de impostos, de justiça e de guerra, em administração interior e em poder de tratar com o estrangeiro: ora confundem todas essas partes, ora as separam; fazem do Soberano um ser fantástico e formado de peças encaixadas; é como se compusessem o homem com vários corpos, um dos quais teria olhos, o outro, braços, o outro, pés e nada mais. Dizem que os charlatães do Japão despedaçam uma criança aos olhos dos espectadores para depois, lançando no ar todos os seus membros um após o outro, fazerem reaparecer a criança viva e recomposta. Esses são mais ou menos

---

* Para que uma vontade seja geral, nem sempre é necessário que ela seja unânime, mas é necessário que todos os votos sejam contados; qualquer exclusão formal rompe a generalidade. (N.A.)

os lances de prestidigitação de nossos políticos; após terem desmembrado o corpo social por uma habilidade digna de feira, reúnem as peças não se sabe como.

Esse erro provém de não se fazerem noções exatas da autoridade soberana e de se tomarem por partes dessa autoridade o que não é senão emanações dela. Assim, por exemplo, considerou-se o ato de declarar a guerra e o de fazer a paz como atos de soberania, o que não são, pois cada um desses atos não é de modo algum uma lei, mas somente uma aplicação da lei, um ato particular que determina o caso da lei, como se verá claramente quando a ideia ligada à palavra *lei* for fixada.

Seguindo do mesmo modo as outras divisões, veríamos que sempre há um engano quando se acredita ver a soberania dividida, porque os direitos tomados como partes dessa soberania são todos subordinados a ela e supõem sempre vontades supremas, das quais esses direitos são apenas a execução.

Não saberíamos dizer o quanto de obscuridade essa falta de exatidão lançou nas decisões dos autores em matéria de direito político, quando quiseram julgar direitos respectivos dos reis e dos povos de acordo com os princípios que haviam estabelecido. Cada um pode ver, nos capítulos III e IV do primeiro livro de Grotius, de que maneira esse homem erudito e seu tradutor Barbeyrac se confundem, se embaraçam em seus sofismas, temendo dizer demais ou não dizer o bastante segundo seus pontos de vista e fazer colidir interesses que buscavam conciliar. Grotius, refugiado na França, descontente com sua pátria* e querendo cortejar Luís XIII, a quem o livro é dedicado, nada poupa para despojar os povos de todos os seus direitos e, com toda a arte possível, revestir os reis desses direitos. Foi também o que fez Barbeyrac, que dedicou sua tradução a Jorge I, rei da Inglaterra. Porém, infelizmente, a expulsão de Jaime II, que ele chama de abdicação, forçou-o a manter-se em

---

* A Holanda. (N.T.)

reserva, a falsear, a tergiversar, para não fazer de Guilherme um usurpador. Se esses dois escritores tivessem adotado os verdadeiros princípios, todas as dificuldades se dissipariam e eles teriam sido sempre consequentes; contudo, então teriam tristemente dito a verdade e cortejado somente o povo. Ora, a verdade não conduz à fortuna, e o povo não concede embaixadas, nem cátedras, nem pensões.

Capítulo III
Se a vontade geral pode errar

Segue-se do que precede que a vontade geral é sempre reta e tende sempre à utilidade pública, mas não que as deliberações do povo tenham sempre a mesma retidão. Todos querem sempre o próprio bem, mas este nem sempre é compreendido. Nunca se corrompe o povo, mas ele com frequência é enganado, e só então parece querer o que é mau.

Com frequência, há muita diferença entre a vontade de todos e a vontade geral; esta considera apenas o bem comum, enquanto a outra prende-se ao interesse privado, não sendo senão uma soma de vontades particulares: porém, se retirarmos dessas mesmas vontades os mais e os menos que se destroem mutuamente*, resta como soma das diferenças a vontade geral.

Se, quando o povo suficientemente informado delibera, os cidadãos não tivessem nenhuma comunicação entre si, do grande número de pequenas diferenças resultaria sempre a vontade geral e a deliberação seria sempre boa.

---

* *Cada interesse,* diz o M. d'A. [marquês d'Argenson], *tem princípios diferentes. A concordância de dois interesses particulares se forma por oposição ao de um terceiro.* Ele poderia ter acrescentado que a concordância de todos os interesses se forma por oposição ao de cada um. Se não houvesse interesses diferentes, mal se perceberia o interesse comum, que jamais encontraria obstáculo: tudo marcharia por si, e a política deixaria de ser uma arte. (N.A.)

No entanto, quando se criam facções, associações parciais em detrimento da grande, a vontade de cada uma dessas associações torna-se geral em relação aos seus membros e particular em relação ao Estado; pode-se dizer então que o número de votantes não é mais o de homens, mas o de associações. As diferenças tornam-se menos numerosas e produzem um resultado menos geral. Enfim, quando uma dessas associações é tão grande que sobrepuja todas as outras, não temos mais como resultado uma soma de pequenas diferenças, mas uma diferença única; então, não há mais vontade geral, e a opinião que prevalece é uma opinião particular.

Portanto, para ter claramente o enunciado da vontade geral, é importante que não haja sociedade parcial no Estado e que cada cidadão opine apenas por si mesmo*. Tal foi a única e sublime instituição do grande Licurgo. Se houver sociedades parciais, será preciso multiplicar seu número e evitar sua desigualdade, como fizeram Sólon, Numa e Sérvio. Essas precauções são as únicas boas para que a vontade geral seja sempre esclarecida e para que o povo não se engane.

Capítulo IV

Dos limites do poder soberano

Se o Estado ou a Cidade não é senão uma pessoa moral cuja vida consiste na união de seus membros, e se o mais

---

* *Vera cosa è*, diz Maquiavel, *che alcune divisioni nuocono alle Repubbliche, e alcune giovano: quelle nuocono che sono dalle sette e da partigiani accompagnate: quelle giovano che senza sette, senza partigiani si mantengono. Non potendo adunque provedere un fondatore d'una Republica che non siano nimicizie in quella, hà de proveder almeno che non vi siano sette*. (Hist. Fiorent., L. VII). "Na verdade, diz Maquiavel, há divisões que prejudicam as Repúblicas, outras, que são proveitosas: prejudiciais são as que comportam facções e partidários; proveitosas, as que se mantêm sem facções nem partidários. Portanto, já que o fundador de uma República não pode evitar que dissensões se manifestem, ao menos deve organizá-la de modo a não se formarem facções." (Hist. Fiorent., L. VII) (N.A.)

importante de seus cuidados é o de sua própria conservação, é-lhe necessária uma força universal e compulsiva para mover e dispor cada parte da maneira mais conveniente ao todo. Assim como a natureza dá a cada homem um poder absoluto sobre todos os seus membros, o pacto social dá ao corpo político um poder absoluto sobre todos os seus, e é esse mesmo poder, dirigido pela vontade geral, que leva, como eu disse, o nome de soberania.

Contudo, além da pessoa pública, temos de considerar as pessoas privadas que a compõem, cuja vida e cuja liberdade são naturalmente independentes dela. Trata-se, pois, de distinguir claramente os direitos respectivos dos Cidadãos e do Soberano*, bem como distinguir os deveres que os primeiros devem cumprir na qualidade de súditos do direito natural do que eles devem usufruir na qualidade de homens.

Concorda-se que o que cada um aliena, pelo pacto social, de seu poder, de seus bens, de sua liberdade, é somente a parte de tudo aquilo cujo uso importa à comunidade, mas é preciso convir também que somente o Soberano é juiz dessa importância.

Todos os serviços que um cidadão pode prestar ao Estado lhe são devidos tão logo o Soberano os exige; contudo, por seu lado, o Soberano não pode impor aos súditos nenhuma sujeição inútil à comunidade; não pode nem mesmo querer isso, pois, sob a lei da razão, nada se faz sem causa, como tampouco sob a lei da natureza.

Os compromissos que nos ligam ao corpo social só são obrigatórios por serem mútuos, e sua natureza é tal que, ao cumpri-los, não se pode trabalhar para outrem sem trabalhar também para si. Por que a vontade geral é sempre reta e por que todos querem constantemente a felicidade de cada um? Não é por não haver ninguém que não se aproprie da

---

* Leitores atentos, peço que não se apressem em me acusar aqui de contradição. Não a pude evitar nos termos, dada a pobreza da língua, mas aguardem. (N.A.)

expressão *cada um* e que não pense em si mesmo ao votar por todos? O que prova que a igualdade de direito e a noção de justiça que ela produz deriva da preferência que cada um se dá e, portanto, da natureza do homem; que a vontade geral, para ser realmente tal, deve sê-lo em seu objeto assim como em sua essência; que ela deve partir de todos para se aplicar a todos; e que ela perde sua retidão natural quando tende a algum objeto individual e determinado, porque então, julgando sobre o que nos é alheio, não temos nenhum verdadeiro princípio de equidade a nos guiar.

Com efeito, quando se trata de um fato ou de um direito particular sobre um ponto não regulado por uma convenção geral e anterior, a questão torna-se contenciosa. É um processo em que os indivíduos interessados são uma das partes e o público, a outra, mas no qual não vejo nem a lei que convém seguir, nem o juiz que deve pronunciar-se. Seria ridículo querer então confiar em uma decisão expressa da vontade geral, que não pode ser senão a conclusão de uma das partes e que, portanto, é para a outra apenas uma vontade estranha, particular, sujeita nessa ocasião à injustiça e ao erro. Assim, do mesmo modo que uma vontade particular não pode representar a vontade geral, esta, por sua vez, muda de natureza ao ter um objeto particular e não pode, por ser geral, pronunciar-se nem sobre um homem nem sobre um fato. Quando o povo de Atenas, por exemplo, nomeava ou destituía seus chefes, dava honrarias a um, impunha penas a outro, e por uma série de decretos particulares exercia indistintamente todos os atos do Governo, esse povo não tinha mais vontade geral propriamente dita; não agia mais como Soberano, mas como magistrado. Isso parecerá contrário às ideias comuns, porém é preciso dar-me o tempo de expor as minhas.

Deve-se compreender com isso que o que generaliza a vontade é menos o número de votos do que o interesse comum que os une: nessa instituição, cada um submete-se necessariamente às condições que impõe aos outros; concordância admirável do interesse e da justiça que dá às deliberações comuns um caráter de equidade que vemos desaparecer na discussão de toda questão particular, por falta de um interesse comum que una e identifique a regra do juiz à da parte.

Não importa por qual lado se remonte ao princípio, chega-se sempre à mesma conclusão, a saber: que o pacto social estabelece entre os cidadãos uma tal igualdade que todos se comprometem sob as mesmas condições e que todos devem usufruir os mesmos direitos. Assim, pela natureza do pacto, todo ato de soberania, isto é, todo ato autêntico da vontade geral, obriga ou favorece igualmente a todos os cidadãos, de modo que o Soberano conhece apenas o corpo da nação e não distingue nenhum daqueles que o compõem. O que é então, propriamente, um ato de soberania? Não é uma convenção do superior com o inferior, mas uma convenção do corpo com cada um de seus membros: convenção legítima, pois tem por base o contrato social; equitativa, pois é comum a todos; útil, pois não pode ter outro objeto senão o bem geral; e sólida, pois tem por garantia a força pública e o poder supremo. Enquanto os súditos estiverem submetidos apenas a tais convenções, eles não obedecem a ninguém, mas somente à sua própria vontade; e perguntar até onde se estendem os direitos respectivos do Soberano e dos Cidadãos é perguntar até que ponto estes podem comprometer-se consigo mesmos, cada um em relação a todos e todos em relação a cada um.

Vê-se por aí que o poder soberano, por mais absoluto, sagrado e inviolável que seja, não ultrapassa nem pode ultrapassar os limites das convenções gerais e que todo homem pode dispor plenamente do que lhe foi deixado de seus bens e de sua liberdade por essas convenções; de modo que o Soberano nunca tem o direito de onerar um súdito mais do que a um outro, porque então, tornando-se particular a questão, seu poder não é mais competente.

Uma vez aceitas essas distinções, é falso que haja no contrato social, da parte dos indivíduos, uma verdadeira renúncia: a situação deles, pelo efeito desse contrato, revela-se realmente preferível ao que era antes; em vez de uma alienação, houve uma troca vantajosa de uma maneira de ser incerta e precária por uma outra melhor e mais segura; eles trocaram a independência natural pela liberdade, o poder de prejudicar a outrem por sua própria segurança, e sua força, que outras forças podiam superar, por um direito que a união social torna invencível. Sua própria vida devotada ao Estado é continuamente protegida; e, quando a expõem para a sua defesa, o que fazem senão devolver o que receberam dele? O que fazem, senão o que fariam, mais frequentemente e com mais perigo, no estado de natureza, quando, envolvidos em combates inevitáveis, defendiam com o risco da própria vida o que lhes serve para conservá-la? É verdade que todos devem combater pela pátria, se necessário, mas ninguém nunca terá de combater por si. E, quanto à segurança, acaso não se ganha assumindo também uma parte dos riscos que teríamos de correr por nós mesmos se ela nos fosse tirada?

Capítulo V
Do direito de vida e de morte

Pergunta-se: de que maneira os indivíduos, não tendo direito algum de dispor da própria vida, podem transmitir ao Soberano esse mesmo direito que eles não têm? Essa questão só parece difícil de responder porque está mal colocada. Todo homem tem o direito de arriscar sua vida para conservá-la. Alguma vez foi dito que quem se atira de uma janela para escapar de um incêndio é culpado de suicídio? Alguma vez imputou-se esse mesmo crime a quem perece numa tempestade cujo perigo ele não ignorava ao embarcar?

O tratado social tem por finalidade a preservação dos contratantes. Quem quer o fim quer também os meios, e esses meios são inseparáveis de alguns riscos e mesmo de algumas perdas. Quem quer preservar a vida às custas dos outros deve dá-la também por eles quando necessário. Ora, o cidadão não é mais juiz do perigo ao qual a lei quer que se exponha e, quando o Príncipe lhe diz "É útil ao Estado que morras", ele deve morrer, pois foi nessa condição que viveu em segurança até então, e sua vida não é mais apenas um favor da natureza, mas uma doação condicional do Estado.

A pena de morte infligida aos criminosos pode ser considerada mais ou menos sob o mesmo ponto de vista: é para não sermos a vítima de um assassino que consentimos em morrer se nos tornarmos um. Nesse contrato, longe de dispor da própria vida, pensa-se apenas em garanti-la, e não cabe presumir que algum dos contratantes premedite então fazer-se enforcar.

Aliás, todo malfeitor que ataca o direito social torna-se por seus crimes rebelde e traidor da pátria, cessa de ser seu membro ao violar suas leis e pratica inclusive a guerra contra ela. Assim, a conservação do Estado é incompatível com a dele, porque é preciso que um dos dois pereça, e é menos como cidadão do que como inimigo que se faz morrer o culpado. Os processos, o julgamento, são as provas e a declaração de que ele rompeu o tratado social e, portanto, não é mais membro do Estado. Ora, como o culpado se reconheceu como tal, ao menos por sua residência, ele deve ser punido pelo exílio como infrator do pacto ou pela morte como inimigo público, pois tal inimigo não é uma pessoa moral, é um homem, e então o direito da guerra é matar o vencido.

Contudo, dirão, a condenação de um criminoso é um ato particular. De acordo: assim, essa condenação não compete ao Soberano, é um direito que ele pode conferir sem poder exercê-lo. Todas as minhas ideias se ligam, mas eu não saberia expor todas ao mesmo tempo.

De resto, a frequência dos suplícios é sempre um sinal de fraqueza ou de preguiça no Governo. Não há indivíduo ruim que não se possa tornar bom para alguma coisa. Tem-se o direito de matar, inclusive para servir de exemplo, somente aquele que não se pode conservar sem perigo.

Com relação ao direito de indultar ou de isentar um culpado da pena estabelecida pela lei e pronunciada pelo juiz, ele compete apenas a quem está acima do juiz e da lei, isto é, ao Soberano: mesmo assim, seu direito nesse ponto não é bastante claro e são raros os casos em que pode usá-lo. Em um Estado bem governado há poucas punições, não porque se deem muitos indultos, mas porque há poucos criminosos: o grande número de crimes assegura sua impunidade quando o Estado se enfraquece. Na República romana, nunca o Senado nem os cônsules tentaram perdoar; o próprio povo não o fazia, embora revogasse às vezes seu julgamento. Os frequentes indultos anunciam que em breve os crimes não terão mais necessidade deles, e todos percebem aonde isso leva. No entanto, sinto que meu coração murmura e retém minha pena; deixemos a discussão dessas questões ao homem justo que nunca falhou e que nunca teve, ele próprio, necessidade de perdão.

Capítulo VI
Da lei

Pelo pacto social, demos existência e vida ao corpo político: trata-se agora de dar-lhe, pela legislação, o movimento e a vontade. Pois o ato primitivo pelo qual esse corpo se forma e se une nada determina ainda do que ele deve fazer para conservar-se.

O que é bom e conforme à ordem assim o é pela natureza das coisas e independente das convenções humanas. Toda justiça vem de Deus, somente ele é sua fonte; porém, se soubéssemos recebê-la de tão alto, não teríamos necessidade nem de governo, nem de leis. Certamente há uma justiça universal emanada da razão apenas, mas essa justiça, para ser aceita entre nós, deve ser recíproca. A considerar humanamente as coisas, as leis da justiça, na falta de sanção natural, são vãs entre os homens; elas só fazem o bem do homem mau e o mal do homem justo quando este as observa em relação a todos sem que ninguém as observe com ele. É preciso, pois, convenções e leis para unir os direitos aos deveres e reconduzir a justiça ao seu objeto. No estado de natureza, onde tudo é comum, nada devo àqueles a quem nada prometi, só reconheço como sendo de outrem o que me é inútil. Não é isso que acontece no estado civil, onde todos os direitos são fixados pela lei.

Mas o que é, afinal, uma lei? Enquanto nos contentarmos em atribuir a essa palavra apenas ideias metafísicas, continuaremos a raciocinar sem nos entendermos; e, mesmo quando se tiver dito o que é uma lei da natureza, não se saberá melhor o que é uma lei do Estado.

Já afirmei não haver vontade geral sobre um objeto particular. De fato, esse objeto particular está dentro do Estado ou fora do Estado. Se está fora do Estado, uma vontade que lhe é estranha não é geral em relação a ele; se está dentro do Estado, faz parte dele. Então, forma-se entre o todo e sua parte uma relação que produz dois seres separados, um deles sendo a parte, o outro sendo o todo menos essa parte. Contudo, o todo menos uma parte não é o todo e, enquanto essa relação subsiste, não há mais todo, mas sim duas partes desiguais; segue-se que a vontade de uma não é mais geral em relação à outra.

No entanto, quando o povo inteiro estatui para o povo inteiro, ele só considera a si mesmo, e, se uma relação então se forma, é entre o objeto inteiro sob um ponto de vista e o objeto inteiro sob um outro ponto de vista, sem nenhuma divisão do todo. Portanto, a matéria sobre a qual se estatui é geral como a vontade que estatui. É a esse ato que chamo uma lei.

Quando digo que o objeto das leis é sempre geral, entendo que a lei considera os súditos como corpo e as ações como abstratas, nunca um homem como indivíduo nem uma ação particular. Assim, a lei pode perfeitamente estatuir que haverá privilégios, mas não pode conferi-los nomeadamente a ninguém; a lei pode criar várias classes de cidadãos, designar inclusive as qualidades que darão direito a essas classes, mas não pode nomear esses ou aqueles para nelas serem admitidos; pode estabelecer um governo de realeza e uma sucessão hereditária, mas não pode eleger um rei nem nomear uma família real; em suma, qualquer função relacionada a um objeto individual não compete ao poder legislativo.

Com base nessa ideia, percebe-se de imediato que não é mais preciso perguntar a quem compete fazer leis, já que elas são atos da vontade geral; nem se o Príncipe está acima das leis, já que ele é membro do Estado; nem se a lei pode ser injusta, já que ninguém é injusto em relação a si mesmo; nem como é possível ser livre e submetido às leis, já que elas são apenas registros de nossas vontades.

Como a lei reúne a universalidade da vontade e a do objeto, percebe-se também que aquilo que um homem, seja ele quem for, ordena em seu nome, não é uma lei; mesmo o que o Soberano ordena sobre um objeto particular não é lei, mas um decreto, nem um ato de soberania, mas de magistratura.

Portanto, chamo de República todo Estado regido por leis, seja qual for sua forma de administração: pois então somente o interesse público governa, e a coisa pública é qualquer coisa. Todo governo legítimo é republicano*: explicarei adiante o que é Governo.

As leis são propriamente as condições da associação civil. O Povo submetido às leis deve ser seu autor; compete apenas aos que se associam regular as condições da sociedade. Mas como as regularão? Será por comum acordo, por uma inspiração súbita? O corpo político dispõe de um órgão para enunciar essas vontades? Quem lhe dará a previdência

---

* Por essa palavra não entendo apenas uma aristocracia ou uma democracia, mas em geral todo governo guiado pela vontade geral, que é a lei. Para ser legítimo, o Governo não deve confundir-se com o Soberano, mas ser seu ministro: então, a própria monarquia é república. Isso será esclarecido no livro seguinte. (N.A.)

necessária para formar os atos e publicá-los antecipadamente, ou como os pronunciará em caso de urgência? De que maneira uma multidão cega, que em geral não sabe o que quer porque raramente sabe o que lhe convém, executará por si mesma um empreendimento tão grande, tão difícil, quanto um sistema de legislação? O povo, por si mesmo, quer sempre o bem, mas nem sempre o percebe por si mesmo. A vontade geral é sempre reta, porém o julgamento que a guia nem sempre é esclarecido. É preciso fazê-la ver os objetos tais como são, às vezes tais como devem lhe aparecer, mostrar o bom caminho que ela busca, protegê-la contra a sedução das vontades particulares, aproximar de seus olhos os lugares e os tempos, comparar o atrativo das vantagens presentes e sensíveis com os perigos dos males distantes e ocultos. Os indivíduos enxergam o bem que eles rejeitam; o público quer o bem que ele não enxerga. Ambos têm necessidade de guias. É preciso obrigar os primeiros a conformar sua vontade à razão, bem como ensinar o segundo a conhecer o que quer. Então, das luzes públicas resulta a união do entendimento e da vontade no corpo social, daí o exato concurso das partes e, finalmente, a maior força do todo. Eis de onde nasce a necessidade de um Legislador.

Capítulo VII

Do legislador

Para descobrir as melhores regras de sociedade que convêm às Nações, seria preciso uma inteligência superior, que compreendesse todas as paixões dos homens e não sentisse nenhuma, que não tivesse relação alguma com nossa natureza e a conhecesse a fundo, cuja felicidade fosse independente de nós e, não obstante, aceitasse ocupar-se da nossa; enfim, que pudesse, contando com uma glória distante no progresso dos tempos, trabalhar num século e usufruí-la num outro*. Seria preciso deuses para dar leis aos homens.

O mesmo raciocínio que fazia Calígula quanto ao fato, Platão o fazia quanto ao direito para definir o homem civil ou da realeza, que ele examina em seu livro do reinado**; porém, se é verdade que um grande príncipe é um homem raro, o que dizer de um grande legislador? O primeiro precisa apenas seguir o modelo que o outro deve propor. Este é o mecânico que inventa a máquina, aquele é somente o operário que a monta e a faz funcionar. No nascimento das sociedades, diz Montesquieu, são os chefes das repúblicas que fazem a instituição, e a seguir é a instituição que forma os chefes das repúblicas.

Aquele que ousa empreender a ação de instituir um povo deve sentir-se capaz de mudar, por assim dizer, a natureza humana; de transformar cada indivíduo, que em si mesmo é um todo perfeito e solitário, em parte de um todo maior do qual esse indivíduo receba, de certo modo, sua vida e seu ser; de alterar a constituição do homem para reforçá-la; de substituir por uma existência parcial e moral a existência física e independente que todos recebemos da natureza. É preciso, em suma, que ele tire do homem suas forças próprias para dar-lhe outras estranhas e das quais não possa fazer uso sem o auxílio de outrem. Quanto mais as forças naturais estiverem mortas e aniquiladas, maiores e mais duráveis serão as adquiridas, mais sólida e perfeita será também a instituição. De modo que, se cada Cidadão é nada, se ele nada pode senão por todos os outros, e se a força adquirida pelo todo é igual ou superior à soma das forças naturais de todos os indivíduos, pode-se dizer que a legislação está no mais alto ponto que é capaz de atingir.

O legislador é, sob todos os aspectos, um homem extraordinário no Estado. Se deve ser assim por seu gênio,

---

* Um povo só se torna célebre quando sua legislação começa a declinar. Ignoramos durante quantos séculos a instituição de Licurgo fez a felicidade dos espartanos antes que se falasse deles no resto da Grécia. (N.A.)

** Trata-se do diálogo de Platão intitulado *O político*. (N.T.)

não o é menos por sua função. Não se trata de magistratura, nem de soberania. Essa função, que constitui a república, não entra em sua constituição. É uma função particular e superior que nada tem em comum com o império humano; pois, se quem comanda os homens não deve comandar as leis, quem comanda as leis não deve tampouco comandar os homens; caso contrário, suas leis, ministros de suas paixões, não fariam senão perpetuar muitas vezes suas injustiças, e ele nunca poderia evitar que ideias particulares corrompessem a santidade de sua obra.

Quando Licurgo deu leis à sua pátria, ele começou por abdicar a realeza. Era costume da maior parte das cidades gregas confiar a estrangeiros o estabelecimento das suas leis. As repúblicas modernas da Itália imitaram com frequência esse costume; a de Genebra fez o mesmo e foi bem-sucedida*. Roma, em sua mais bela época, viu renascer todos os crimes da tirania e esteve a ponto de perecer por ter reunido nas mesmas cabeças a autoridade legislativa e o poder soberano.

Os próprios decênviros, porém, nunca se arrogaram o direito de fazer passar uma lei por sua simples autoridade. *Nada do que vos propomos*, eles diziam ao povo, *pode transformar-se em lei sem o vosso consentimento. Romanos, sede vós mesmos os autores das leis que devem fazer vossa felicidade.*

Quem redige as leis, portanto, não tem ou não deve ter nenhum poder legislativo, e o próprio povo não poderia, mesmo que o quisesse, despojar-se desse direito incomunicável; porque, segundo o pacto fundamental, somente a vontade geral obriga os indivíduos, e nunca se pode assegurar que uma vontade individual seja con-

---

* Os que consideram Calvino apenas como teólogo conhecem mal a extensão de seu gênio. A redação de nossos sábios éditos, da qual ele muito participou, honra-o tanto quanto sua instituição (1536). Por mais que o tempo possa trazer mudanças em nosso culto, a memória desse grande homem, enquanto o amor à pátria e à liberdade não se extinguir entre nós, não deixará de ser abençoada. (N.A.)

forme à vontade geral senão depois de submetê-la aos sufrágios livres do povo; eu já afirmei isso, mas não é inútil repetir.

Assim, encontramos ao mesmo tempo na obra da legislação duas coisas que parecem incompatíveis: um empreendimento acima da força humana e, para executá-lo, uma autoridade que é nada.

Outra dificuldade que merece atenção. Os sábios que querem falar ao vulgo na linguagem deste, e não na deles, não saberiam ser entendidos, pois há muitos tipos de ideias que é impossível de traduzir na língua do povo. As noções mais gerais e os objetos mais afastados estão igualmente fora de seu alcance; como cada indivíduo não aprecia outro plano de governo senão aquele relacionado a seu interesse particular, ele dificilmente percebe as vantagens a serem obtidas das privações contínuas que as boas leis impõem. Para que um povo nascente pudesse apreciar as máximas saudáveis da política e seguir as regras fundamentais da razão de Estado, seria preciso que o efeito se transformasse em causa, que o espírito social que deve ser o resultado da instituição presidisse a instituição própria, e que os homens fossem antes das leis aquilo que devem vir a ser por elas. Portanto, não podendo o legislador empregar nem a força nem o raciocínio, é necessário que ele recorra a uma autoridade de outra ordem, que possa conduzir sem violência e persuadir sem convencer.

Eis o que forçou os pais das nações, em todos os tempos, a recorrer à intervenção do céu e a honrar os deuses com sua própria sabedoria, a fim de que os povos, submetidos às leis do Estado como às da natureza, e reconhecendo o mesmo poder na formação do homem e da Cidade, obedecessem com liberdade e aceitassem docilmente o jugo da felicidade pública.

Essa razão sublime que se eleva acima do alcance dos homens vulgares é aquela cujas decisões o legislador põe na boca dos imortais para conduzir pela autoridade divina aqueles que a prudência humana não poderia abalar*. Mas não é todo homem que pode fazer falar aos deuses, nem ser acreditado quando se anuncia como seu intérprete. A grande alma do Legislador é o verdadeiro milagre que deve provar sua missão. Todo homem pode gravar tábuas de pedra, ou comprar um oráculo, ou fingir um comércio secreto com alguma divindade, ou treinar uma ave para lhe falar ao ouvido, ou descobrir outros meios grosseiros de impor-se ao povo. Quem souber apenas isso poderá inclusive reunir ao acaso um grupo de insensatos, mas nunca fundará um império, e sua obra extravagante logo perecerá com ele. Prestígios vãos formam uma ligação passageira; somente a sabedoria produz algo duradouro. A lei judaica, sempre subsistente, e a do filho de Ismael, que há dez séculos rege metade do mundo, anunciam ainda hoje os grandes homens que as ditaram; e, enquanto a orgulhosa filosofia ou o cego espírito de partido vê neles apenas impostores bem-sucedidos, o verdadeiro político admira em suas instituições aquele grande e poderoso gênio que preside os estabelecimentos duráveis.

De tudo isso não cabe concluir, com Warburton, que a política e a religião tenham entre nós um objeto comum, mas que na origem das nações uma serve de instrumento à outra.

---

* *E veramente,* diz Maquiavel, *mai non fu alcuno ordinatore di leggi straordinarie in un popolo, che non ricorresse a Dio, perche altrimenti non sarebbero accettate; perche sono molti bene conosciuti da uno prudente, i quali non hanno in se raggioni evidenti da potergli persuadere ad altrui.* (*Discorsi sopra Tito Livio,* L. I c. XI). "Na verdade, diz Maquiavel, nunca houve um legislador que não recorresse a Deus para fazer aceitar leis extraordinárias que de outra forma não teriam sido aceitas; e que não contivessem, porque são muito bem conhecidas por um legislador prudente, razões evidentes capazes de persuadir os outros." (*Discorsi sopra Tito Livio,* L. I c. XI) (N.A.)

Capítulo VIII
Do povo

Assim como antes de elevar um grande edifício o arquiteto observa e sonda o solo, para ver se pode sustentar seu peso, o sábio instituidor não começa por redigir boas leis em si mesmas, porém examina antes se o povo ao qual as destina é capaz de suportá-las. É por isso que Platão recusou dar leis aos árcades e aos cirênios, sabendo que esses dois povos eram ricos e não podiam aceitar a igualdade; por isso também Creta teve boas leis e homens maus, porque Minos apenas disciplinou um povo cheio de vícios.

Na terra brilharam inúmeras nações que jamais teriam podido aceitar boas leis, e as mesmas que poderiam aceitá-las só tiveram, em toda a sua duração, um tempo muito curto para isso. Os povos, como os homens, só são dóceis na juventude, pois eles se tornam incorrigíveis ao envelhecer; uma vez estabelecidos os costumes e enraizados os preconceitos, é um empreendimento perigoso e vão querer reformá-los; o povo não admite sequer que toquem em seus males para destruí-los, como aqueles doentes estúpidos e covardes que tremem ao ver o médico.

Não que às vezes, como algumas doenças que perturbam a mente dos homens e lhes tiram a lembrança do passado, não haja épocas violentas na duração dos Estados, em que as revoluções façam com os povos o que certas crises fazem com os indivíduos, em que o horror do passado funcione como esquecimento e em que o Estado, inflamado pelas guerras civis, renasça das cinzas, por assim dizer, e recupere o vigor da juventude ao sair dos braços da morte. Foi assim em Esparta no tempo de Licurgo, em Roma depois dos Tarquínios e, entre nós, na Holanda e na Suíça após a expulsão dos tiranos.

Contudo, esses acontecimentos são raros; são exceções cuja razão encontra-se sempre na constituição particular do Estado excetuado. Não poderiam sequer ocorrer duas vezes para o mesmo povo, pois este pode tornar-se livre enquanto é apenas bárbaro, mas não pode mais sê-lo quando o vigor civil já se extenuou. Então, os distúrbios podem destruí-lo sem que as revoluções o restabeleçam; quando seus grilhões se quebram, ele cai disperso e não existe mais: daí por diante precisa de senhor e não de libertador. Povos livres, lembrem-se desta máxima: pode-se adquirir a liberdade, mas recuperá-la jamais.

Para as nações, como para os homens, há um tempo de maturidade que é preciso esperar antes de submetê-las às leis; porém, a maturidade de um povo nem sempre é fácil de conhecer e, se a antecipamos, o trabalho se perde. Determinado povo é disciplinável ao nascer, um outro o será ao final de dez séculos. Os russos nunca serão verdadeiramente civilizados porque o foram demasiado cedo. Pedro tinha o gênio imitativo; não tinha o verdadeiro gênio, aquele que cria e produz tudo a partir de nada. Algumas coisas que ele fez eram boas, a maior parte estava deslocada. Ele viu que seu povo era bárbaro, mas não viu que não estava maduro para a civilização; quis civilizá-lo quando devia apenas torná-lo aguerrido. Quis primeiro fazer alemães, ingleses, quando era preciso começar por fazer russos; impediu seus súditos de se tornarem o que poderiam ser, persuadindo-os de que eram o que não são. É assim que um preceptor francês forma seu aluno para brilhar por um momento na infância, para depois ser nada. O império russo desejará subjugar a Europa e será subjugado ele próprio. Os tártaros, seus súditos ou seus vizinhos, serão seus senhores e os nossos. Essa revolução parece-me infalível. Todos os reis da Europa trabalham de comum acordo para acelerá-la.

Capítulo IX

Continuação

Assim como a natureza delimitou a estatura de um homem bem conformado, sem o que só produziria gigantes ou anões, há também limites à extensão de um Estado tendo em vista sua melhor constituição, a fim de que ele não seja nem grande demais para poder ser bem governado, nem pequeno demais para poder manter-se por si mesmo. Há em todo corpo político um *máximo* de força que ele não poderia ultrapassar e do qual frequentemente se afasta por excesso de crescimento. Quanto mais se estende o laço social, mais ele se afrouxa, e em geral um pequeno Estado é proporcionalmente mais forte do que um grande.

Inúmeras razões demonstram essa máxima. Em primeiro lugar, a administração torna-se mais difícil nas grandes distâncias, como um peso é maior na ponta de uma alavanca comprida. Torna-se também mais onerosa à medida que os graus se multiplicam, pois cada cidade tem sua administração, que o povo paga, cada distrito tem a sua, também paga pelo povo; a seguir cada província, depois os grandes governos, as satrapias, os vice-reinados, sempre mais onerosos à medida que se sobe e sempre às custas do povo infeliz; finalmente, há a administração suprema, que esmaga tudo. Tanta sobrecarga esgota continuamente os súditos; longe de serem melhor governados por essas diferentes ordens, o são menos do que se houvesse apenas uma acima deles. E mal sobram recursos para os casos extraordinários; quando é preciso contar com eles, o Estado está sempre à beira da ruína.

Não é tudo; o governo não apenas tem menos vigor e presteza para fazer observar as leis, impedir as afrontas, corrigir os abusos, prevenir as iniciativas sediciosas que podem surgir em lugares distantes; também o povo tem menos afeição por seus chefes, que nunca vê, pela pátria, que a seus olhos é como o mundo, e pelos concidadãos, cuja maior parte lhe são estranhos. As mesmas leis não podem convir a tantas províncias diversas que têm costumes diferentes, que vivem em climas opostos e não podem sujeitar-se à mesma forma de governo. Leis diferentes engendram apenas perturbação e confusão entre povos que, vivendo sob os mesmos chefes e em uma comunicação contínua, frequentam-se e casam-se uns com os outros e que nunca sabem, submetidos a outros costumes, se seu patrimônio é realmente deles. Os talentos ficam enterrados, as virtudes, ignoradas, os vícios, impunes, nessa multidão de homens desconhecidos uns dos outros que a sede da administração suprema reúne em um mesmo lugar. Os chefes, sobrecarregados de trabalho, nada veem por si mesmos, pois funcionários governam o Estado. Enfim, as medidas que é preciso tomar para manter a autoridade geral, à qual tantos funcionários distantes querem se subtrair ou tentam burlar, absorvem todos os cuidados públicos, nada restando para a felicidade do povo, a não ser eventualmente para sua defesa; e é assim que um corpo demasiado grande por sua constituição enfraquece e morre esmagado sob o próprio peso.

Por outro lado, o Estado deve prover-se de uma certa base para ter solidez, para resistir aos abalos que não deixarão de ocorrer e aos esforços que será obrigado a fazer para sustentar-se: todos os povos têm uma espécie de força centrífuga pela qual agem continuamente uns contra os outros e tendem a crescer às custas dos vizinhos, como os turbilhões de Descartes. Assim, os fracos arriscam-se a logo ser engolidos, e praticamente ninguém pode conservar-se senão pondo-se com todos em uma espécie de equilíbrio, que torna a compressão mais ou menos igual em toda parte.

Vê-se com isso que há razões para se expandir e razões para se contrair, e não é o menor talento do político encontrar, entre umas e outras, a proporção mais vantajosa para a conservação do Estado. Pode-se dizer em geral que as primeiras, sendo apenas exteriores e relativas, devem estar subordinadas às outras, que são internas e absolutas: uma constituição saudável e forte é a primeira coisa a buscar, e deve-se contar mais com o vigor que nasce de um bom governo do que com os recursos que um grande território oferece.

De resto, sabemos de Estados constituídos de tal maneira que a necessidade de conquistas fazia parte de sua constituição mesma e, para se manterem, eram obrigados a crescer constantemente. Talvez eles se felicitassem por essa feliz necessidade, que lhes mostrava, porém, com o término de sua grandeza, o inevitável momento da queda.

Capítulo X
Continuação

Pode-se medir um corpo político de duas maneiras, a saber: pela extensão do território e pelo número de habitantes, havendo, entre uma e outra dessas medidas, uma relação conveniente para dar ao Estado sua verdadeira grandeza. São os homens que fazem o Estado, e é o território que alimenta os homens; essa relação, portanto, é que a terra seja suficiente para a manutenção de seus habitantes e que haja tantos habitantes quantos a terra puder alimentar. É nessa proporção que se encontra o *máximo* de força de um dado número de habitantes; pois, se houver território em excesso, sua guarda é onerosa, o cultivo, insuficiente, o produto, supérfluo – é a causa próxima das guerras defensivas; se não houver território bastante, o Estado permanece, para o suplemento, à mercê dos vizinhos – é a causa próxima das guerras ofensivas. Todo povo que por sua posição tem somente a alternativa entre o comércio ou a guerra é fraco nele mesmo: depende dos vizinhos, depende dos acontecimentos, tem uma existência sempre incerta e curta. Ele subjuga e muda de situação, ou é subjugado e é nada. Só pode conservar-se livre à força de pequenez ou de grandeza.

Não se pode calcular uma relação fixa entre a extensão de terra e o número de homens que seria suficiente uma ao outro, tanto por causa das diferenças que há nas qualidades do território, em seus graus de fertilidade, na natureza de seus produtos, na influência do clima, quanto das que se observam no temperamento dos homens que o habitam, uns consumindo pouco em uma terra fértil, outros consumindo muito em um solo ingrato. É preciso ainda levar em conta a maior ou menor fecundidade das mulheres, o que o país possa ter de mais ou menos favorável à população, a quantidade para a qual o legislador espera contribuir por suas ordenações, de modo que ele não deve fundar seu julgamento sobre o que vê, mas sobre o que prevê, nem deter-se no estado atual da população ou naquele a que ela deve naturalmente chegar. Enfim, há inúmeras ocasiões em que os acidentes particulares do lugar exigem ou permitem que se ocupe mais território do que parece necessário. Assim, haverá muita expansão em uma terra montanhosa, onde os produtos naturais – florestas, pastagens – requerem menos trabalho, onde a experiência ensina que as mulheres são mais fecundas do que nas planícies e onde um grande solo inclinado oferece somente uma pequena base horizontal, a única que se deve contar para a vegetação. Ao contrário, a contração é possível à beira-mar, mesmo com rochedos e areias quase estéreis, porque a pesca pode suprir em grande parte os produtos da terra, porque os homens estão mais próximos para rechaçar os piratas e também porque há mais facilidade para livrar o país da sobrecarga de habitantes, enviando-os a colônias.

A essas condições para instituir um povo, convém acrescentar uma que não pode substituir nenhuma outra, mas sem a qual todas são inúteis: é que haja abundância e paz; pois o momento em que se cria o Estado é, como aquele em que se forma um batalhão, o momento em que o corpo é menos capaz de resistência e mais fácil de destruir. Resistir-se-ia melhor em uma desordem absoluta do que em um momento de fermentação, no qual cada um se ocupa com sua posição e não com o perigo. Se uma guerra, uma fome, uma sedição sobrevêm nesse tempo de crise, o Estado é infalivelmente derrubado.

Não que não haja muitos governos estabelecidos durante essas tempestades; porém, são esses mesmos governos que destroem o Estado. Os usurpadores provocam ou escolhem sempre esses tempos confusos para fazer passar, favorecidos pelo terror público, leis destrutivas que o povo jamais adotaria com serenidade. A escolha do momento da instituição é um dos sinais mais seguros pelos quais se pode distinguir a obra do legislador da do tirano.

Que povo, então, está preparado para a legislação? Aquele que, estando já ligado por alguma união de origem, de interesse ou de convenção, ainda não conhece o verdadeiro jugo das leis; aquele que não tem nem costumes nem superstições bastante enraizados; aquele que não teme ser destruído por uma invasão súbita e que, sem entrar nas disputas dos vizinhos, pode resistir sozinho a cada um deles, ou contar com a ajuda de um para repelir o outro; aquele em que cada membro pode ser conhecido de todos e no qual um homem não é forçado a assumir um fardo maior do que pode suportar; aquele que pode viver sem os outros povos e sem o qual nenhum outro povo pode viver*; aquele que não é nem rico nem pobre e pode bastar-se a si mesmo; enfim, aquele que reúne a consistência de um povo antigo com a docilidade de um novo povo. O que torna penoso o trabalho da legislação é menos o que deve ser estabelecido do que o que deve ser destruído; e o que torna o sucesso tão raro é a impossibilidade de encontrar a simplicidade da natureza ligada às necessidades da sociedade. Todas essas condições, é verdade, dificilmente estão reunidas. Assim, vemos poucos Estados bem constituídos.

Há ainda na Europa um país capaz de legislação: é a ilha de Córsega. O valor e a constância com que esse bravo povo soube recuperar e defender sua liberdade mereceriam

---

* Se de dois povos vizinhos um não pudesse viver sem o outro, seria uma situação muito dura para o primeiro e muito perigosa para o segundo. Toda nação sábia, em semelhante caso, buscará rapidamente livrar a outra dessa dependência. A República de Thlascala, encravada no Império do México, preferiu abster-se do sal a ter que comprá-lo dos mexicanos e, inclusive, aceitá-lo gratuitamente. Os sábios thlascalanos perceberam a armadilha escondida nessa liberalidade. Conservaram-se livres, e esse pequeno Estado, encerrado dentro do grande império, foi enfim o instrumento da ruína deste. (N.A.)

que algum homem sábio lhe ensinasse a conservá-la. Tenho um pressentimento de que um dia essa pequena ilha surpreenderá a Europa.

Capítulo XI
Dos diversos sistemas de legislação

Se quisermos saber em que consiste precisamente o maior bem de todos, que deve ser a finalidade de cada sistema de legislação, veremos que ele se reduz a estes dois objetos principais, a *liberdade* e a *igualdade*. A liberdade porque toda dependência particular equivale a retirar força do corpo do Estado; a igualdade porque a liberdade não pode subsistir sem ela.

Já afirmei o que é a liberdade civil; com relação à igualdade, não se deve entender por essa palavra que os graus de poder e de riqueza sejam absolutamente os mesmos, mas que, quanto ao poder, esteja abaixo de toda violência e nunca se exerça senão em virtude da ordem e das leis; quanto à riqueza, que nenhum cidadão seja bastante opulento para poder comprar um outro e nenhum bastante pobre para ser forçado a vender-se. O que supõe, nos grandes, moderação de bens e de crédito; nos pequenos, moderação de avareza e de cobiça*.

Essa igualdade, dizem, é uma quimera de especulação que não pode existir na prática. Porém, se o abuso é inevitável, não se deve ao menos regulá-lo? É precisamente porque a força das coisas tende sempre a destruir a igualdade que a força da legislação deve sempre tender a mantê-la.

No entanto, esses objetos gerais de toda boa instituição devem ser modificados em cada país pelas relações

---

* Querem dar ao Estado consistência? Aproximem os graus extremos tanto quanto possível: não aceitem nem pessoas opulentas nem miseráveis. Esses dois estados, naturalmente inseparáveis, são igualmente funestos ao bem comum: de um saem os promotores da tirania; do outro, os tiranos. É sempre entre eles que se faz o tráfico da liberdade pública: um a compra, o outro a vende. (N.A.)

que nascem tanto da situação local quanto do caráter dos habitantes, e é com base nessas relações que convém dar a cada povo um sistema particular de instituição, que seja o melhor não talvez em si mesmo, mas para o Estado ao qual se destina. Por exemplo: é o solo ingrato ou o país muito acanhado para os habitantes? Que ele se volte para a indústria e as artes, cujos produtos serão trocados pelo gêneros alimentícios em falta. Ao contrário, o país possui ricas planícies e colinas férteis? Tendo um bom território, faltam-lhe habitantes? Que os cuidados se voltem para a agricultura que multiplica os homens, e não para as artes, que acabariam por fazer despovoar o país, concentrando em alguns pontos do território os poucos habitantes que possui*. O país ocupa praias extensas e cômodas? Que ele cubra o mar de navios, cultive o comércio e a navegação: assim terá uma existência brilhante e curta. O mar banha, no litoral, apenas rochedos quase inacessíveis? Que o país permaneça bárbaro e ictiófago; o povo viverá mais tranquilo, talvez melhor, e seguramente mais feliz. Em suma, além das máximas comuns a todos, cada povo contém em si alguma causa que as ordena de maneira particular e faz com que sua legislação lhe seja própria. É assim que outrora os hebreus e recentemente os árabes tiveram como principal objeto a religião, os atenienses as letras, Cartago e Tiro o comércio, Rodes a marinha, Esparta a guerra e Roma a virtude. O autor de *O espírito das leis*** mostrou com uma quantidade de exemplos com que arte o legislador dirige a instituição para cada um desses objetos.

O que torna a constituição de um Estado verdadeiramente sólida e duradoura é quando as conveniências são de tal modo observadas que as relações naturais e as leis sempre coincidem sobre os mesmos pontos, e estas últimas

---

* Qualquer ramo de comércio exterior, diz o marquês d'Argenson, dificilmente promove mais do que uma falsa utilidade para um reino em geral; pode enriquecer alguns particulares, inclusive algumas cidades, mas a nação inteira nada ganha, e o povo em nada melhora com isso. (N.A.)

** Montesquieu. (N.T.)

não fazem senão, por assim dizer, assegurar, acompanhar e retificar as primeiras. Todavia, se o legislador, enganando-se em seu objeto, toma um princípio diferente daquele que nasce da natureza das coisas, quando um tende à servidão e o outro à liberdade, um às riquezas e o outro à população, um à paz e o outro às conquistas, veremos as leis se enfraquecerem imperceptivelmente e a constituição se alterar; o Estado não cessará de agitar-se até ser destruído ou modificado e até que a invencível natureza retome seu domínio.

Capítulo XII
Divisão das leis

Para ordenar o todo, ou dar a melhor forma possível à coisa pública, há diversas relações a serem consideradas. Em primeiro lugar, a ação do corpo inteiro sobre si mesmo, isto é, a relação do todo ao todo, ou do Soberano ao Estado, e essa relação é composta daquela dos termos intermediários, como veremos adiante.

As leis que regulam essa relação têm o nome de leis políticas e são também chamadas de leis fundamentais, não sem alguma razão, se essas leis forem sábias. Pois, se em cada Estado houver só uma boa maneira de ordená-lo, o povo que a descobriu deve ater-se a ela: porém, se a ordem estabelecida é má, por que se tomariam por fundamentais leis que a impedem de ser boa? Seja como for, o povo é sempre senhor de mudar suas leis, mesmo as melhores: se lhe agrada fazer mal a si mesmo, quem terá o direito de impedi-lo?

A segunda relação é a dos membros entre si ou com o corpo inteiro, e essa relação deve ser, no primeiro caso, tão pequena e, no segundo, tão grande quanto possível, de modo que cada cidadão esteja em perfeita independência de todos os demais e em excessiva dependência da Cidade, o que se faz sempre pelos mesmos meios, pois somente a força do Estado produz a liberdade de seus membros. É desta segunda relação que nascem as leis civis.

Pode-se considerar um terceiro tipo de relação entre o homem e a lei, a saber: a da desobediência à pena, a qual dá ensejo ao estabelecimento das leis criminais que, no fundo, são menos uma espécie particular de leis do que a sanção de todas as outras.

A essas três espécies de leis junta-se uma quarta, a mais importante de todas: a que se grava não no mármore nem no bronze, mas no coração dos cidadãos; que faz a verdadeira constituição do Estado; que assume todos os dias novas forças; que, quando as outras leis envelhecem ou se extinguem, as reanima ou as supre, conservando um povo no espírito de sua instituição e substituindo imperceptivelmente a força do hábito pela da autoridade. Falo das práticas, dos costumes e sobretudo da opinião; parte desconhecida de nossos políticos, mas da qual depende o sucesso de todas as outras; parte da qual o grande Legislador ocupa-se em segredo, enquanto parece limitar-se a regulamentos particulares que são apenas o cinturão da abóbada, da qual os costumes, mais lentos em nascer, formam enfim o inabalável centro.

Entre essas diversas classes, as leis políticas, que constituem a forma do Governo, são as únicas relativas ao meu tema.

Fim do Livro II

Livro III

Antes de falar das diversas formas de Governo, procuremos fixar o sentido preciso dessa palavra, que ainda não foi muito bem explicado.

Capítulo I
Do governo em geral

Advirto o leitor que este capítulo deve ser lido pausadamente e que não conheço a arte de ser claro para quem não quer ser atento.

Toda ação livre tem duas causas que contribuem para produzi-la: uma moral, a vontade que determina o ato, e a outra física, o poder que a executa. Quando caminho em direção a um objeto, primeiro é preciso que eu queira ir; segundo, que meus pés levem-me até lá. Se um paralítico quiser correr, se um homem ágil não o quiser, ambos não sairão do lugar. O corpo político tem os mesmos motivos, nele também se distinguem a força e a vontade: esta sob o nome de *poder legislativo*, aquela sob o nome de *poder executivo*. Nada se faz ou não deve ser feito sem a cooperação de ambos.

Vimos que o poder legislativo pertence ao povo e só pode pertencer a ele. É fácil perceber, ao contrário, pelos princípios antes estabelecidos, que o poder executivo não pode pertencer à generalidade enquanto legisladora ou soberana, porque esse poder consiste apenas em atos particulares que não são da alçada da lei, nem, portanto, da do Soberano, cujos atos, todos, só podem ser leis.

A força pública precisa, pois, de um agente próprio que a reúna e a efetue segundo as diretivas da vontade geral, que sirva à comunicação do Estado e do Soberano, que faça de certo modo na pessoa pública aquilo que faz no homem a união da alma e do corpo. Eis aí, no Estado, a razão do Governo, erroneamente confundido com o Soberano, do qual é somente o ministro.

O que é então o Governo? Um corpo intermediário estabelecido entre os súditos e o Soberano para sua mútua correspondência, encarregado da execução das leis e da manutenção da liberdade, tanto civil quanto política.

Os membros desse corpo chamam-se Magistrados ou *Reis*, isto é, *Governantes*, e o corpo inteiro é denominado *Príncipe**. Assim, têm grande razão os que afirmam que o ato pelo qual um povo se submete a chefes não é um contrato. É simplesmente uma comissão, um emprego no qual funcionários do Soberano exercem em seu nome o poder do qual são depositários e que ele pode limitar, modificar e retomar quando lhe aprouver, sendo a alienação de tal direito incompatível com a natureza do corpo social e contrária ao objetivo da associação.

Portanto, chamo de *Governo*, ou suprema administração, o exercício legítimo do poder executivo, e de Príncipe ou magistrado o homem ou o corpo encarregado dessa administração.

É no Governo que se encontram as forças intermediárias cujas relações compõem a do todo com o todo ou do Soberano com o Estado. Pode-se representar esta última relação pela dos extremos de uma proporção contínua, cuja média proporcional é o Governo. O Governo recebe do Soberano as ordens que ele dá ao povo e, para que o Estado esteja em bom equilíbrio, é preciso que, tudo compensado, haja igualdade entre o produto ou o poder do Governo, tomado nele mesmo, e o produto ou o poder dos cidadãos, que são soberanos, de um lado, e súditos, de outro.

Além disso, não se pode alterar nenhum dos três termos sem romper imediatamente a proporção. Se o Soberano

---

* É assim que em Veneza dá-se ao Colégio o nome de Seteníssimo Príncipe, mesmo quando o Doge não está presente. (N.A.)

quer governar, ou se o magistrado quer constituir leis, ou se os súditos recusam-se a obedecer, a desordem sucede à regra, a força e a vontade não agem mais de comum acordo, e o Estado dissolvido cai no despotismo ou na anarquia. Enfim, do mesmo modo que há somente uma média proporcional entre cada relação, também há somente um bom governo possível em cada Estado. Contudo, como inúmeros acontecimentos podem mudar as relações de um povo, não apenas diferentes governos podem ser bons para diversos povos, mas para o mesmo povo em diferentes épocas.

Para tentar dar uma ideia das diversas relações que podem reinar entre esses dois extremos, tomarei o exemplo do número de habitantes, como uma relação mais fácil de entender.

Suponhamos que o Estado seja composto de dez mil cidadãos. O Soberano só pode ser considerado coletivamente e como corpo. Porém, cada um, na qualidade de súdito, é considerado como indivíduo. Assim, o Soberano está para o súdito como dez mil está para um. Ou seja, cada membro do Estado não possui senão a décima milésima parte da autoridade soberana, embora esteja submetido por inteiro. Se o povo é composto de cem mil homens, o estado dos súditos não muda e cada um suporta igualmente o domínio inteiro das leis, enquanto seu sufrágio, reduzido à centésima milésima parte, tem dez vezes menos influência na redação delas. Dessa forma, permanecendo o súdito sempre um, a relação do Soberano aumenta em razão do número de cidadãos. Donde se segue que, quanto mais cresce o Estado, mais diminui a liberdade.

Quando digo que a relação aumenta, quero dizer que ela se afasta da igualdade. Assim, quanto maior a relação na acepção dos geômetras, menor será a relação na acepção comum; na primeira, a relação considerada mede-se pelo expoente e, na outra, considerada segundo a identidade, avalia-se pela similitude.

Ora, quanto menos as vontades particulares se relacionam à vontade geral, isto é, os costumes às leis, tanto mais a força repressora deve aumentar. Então, o Governo, para ser bom, deve ser relativamente mais forte à medida que o povo é mais numeroso.

Por outro lado, como o crescimento do Estado dá aos depositários da autoridade pública mais tentações e meios de abusar de seu poder, mais força deve ter o Governo para conter o povo e mais força deve ter o Soberano, por sua vez, para conter o Governo. Não falo aqui de uma força absoluta, mas da força relativa das diversas partes do Estado.

Segue-se dessa dupla relação que a proporção contínua entre o Soberano, o Príncipe e o povo não é de modo algum uma ideia arbitrária, mas uma consequência necessária da natureza do corpo político. Segue-se também que, sendo um dos extremos – a saber, o povo como súdito – fixo e representado pela unidade, sempre que a razão dupla aumentar ou diminuir, a razão simples aumentará ou diminuirá, e que, portanto, o termo médio é modificado. O que faz compreender que não há uma constituição de governo única e absoluta, mas que pode haver tantos governos diferentes em natureza quantos Estados diferentes em grandeza.

Se, querendo ridicularizar esse sistema, dissessem que para encontrar tal média proporcional e formar o corpo do Governo bastaria apenas, segundo o que afirmo, tirar a raiz quadrada do número de habitantes do povo, eu responderia que tomo aqui esse número apenas como um exemplo; que as relações de que falo não se medem somente pelo número de homens, mas em geral pela quantidade de ação, a qual se combina por inúmeras causas; que, de resto, se uso termos da geometria para me exprimir em menos palavras, não ignoro, porém, que a precisão geométrica não ocorre de modo algum nas quantidades morais.

O Governo é, em tamanho pequeno, o que o corpo político que o contém é em tamanho grande. É uma pessoa moral dotada de certas faculdades, ativa como o Soberano, passiva como o Estado, e que se pode decompor em relações semelhantes, donde nasce, portanto, uma nova proporção, e ainda uma outra dentro desta conforme a ordem dos tribunais, até se chegar a um termo médio indivisível, isto é, a um único chefe ou magistrado supremo, que pode ser representado no meio dessa progressão como a unidade entre a série das frações e a dos números.

Sem nos embaraçarmos nessa multiplicação de termos, contentemo-nos em considerar o Governo como um novo corpo dentro do Estado, distinto do povo e do Soberano, assim como intermediário entre um e outro.

Há, entre esses dois corpos, a diferença essencial de que o Estado existe por si mesmo, enquanto o Governo só existe pelo Soberano. Assim, a vontade dominante do Príncipe não é ou não deve ser senão a vontade geral ou a lei, sua força não é senão a força pública nele concentrada; tão logo ele queira tirar de si mesmo um ato absoluto e independente, a ligação do todo começa a se afrouxar. Enfim, se acontecesse de o Príncipe ter uma vontade particular mais ativa que a do Soberano, de usar a força pública que está em suas mãos para obedecerem à sua vontade particular, de modo que houvesse, por assim dizer, dois Soberanos, um de direito e outro de fato, no mesmo instante a união social desapareceria e o corpo político seria dissolvido.

No entanto, para que o corpo do Governo tenha uma existência, uma vida real que o distinga do corpo do Estado, para que todos os seus membros possam agir de comum acordo e responder à finalidade para a qual é instituído, ele precisa de um *eu* particular, uma sensibilidade comum a seus membros, uma força, uma vontade própria que tenda à sua conservação. Essa existência particular supõe assembleias, conselhos, um poder de deliberar e decidir, direitos, títulos, privilégios que pertencem ao Príncipe exclusivamente e que tornam a condição do magistrado mais honrosa na medida em que é mais difícil. As dificuldades estão na maneira de ordenar no todo esse todo subalterno, de sorte que não altere a constituição geral ao fortalecer a sua, que distinga sempre sua força particular destinada à própria conservação da força pública destinada à conservação do Estado e, em suma, que esteja sempre pronto a sacrificar o Governo ao povo e não o povo ao Governo.

Aliás, embora o corpo artificial do Governo seja a obra de um outro corpo artificial, embora ele tenha, de certo modo, apenas uma vida de empréstimo e subordinada, isso não impede que possa agir com mais ou menos vigor ou presteza, gozar de uma saúde, por assim dizer, mais ou menos robusta. Enfim, sem afastar-se diretamente do objetivo de sua instituição, pode afastar-se mais ou menos dele, segundo a maneira pela qual é constituído.

É de todas essas diferenças que nascem as relações diversas que o Governo deve ter com o corpo do Estado, segundo as relações acidentais e particulares pelas quais esse mesmo Estado é modificado. Muitas vezes, o melhor Governo se tornará o mais vicioso se suas relações não forem alteradas segundo os defeitos do corpo político ao qual pertencem.

Capítulo II

Do princípio que constitui as diversas formas de governo

Para expor a causa geral dessas diferenças, é preciso distinguir aqui o Príncipe e o Governo, como distingui mais acima o Estado e o Soberano.

O corpo do magistrado pode ser composto de um número maior ou menor de membros. Dissemos que a relação do Soberano com os súditos era tanto maior quanto mais numeroso o povo e, por uma evidente analogia, podemos dizer o mesmo do Governo em relação aos magistrados.

Ora, a força total do Governo, sendo sempre a do Estado, não varia: donde se segue que, quanto mais ele usar essa força sobre seus próprios membros, menos lhe restará para agir sobre todo o povo.

Portanto, quanto mais numerosos forem os magistrados, mais fraco será o Governo. Como essa máxima é fundamental, procuremos esclarecê-la melhor.

Podemos distinguir na pessoa do magistrado três vontades essencialmente diferentes. Primeiro, a vontade própria do indivíduo, que tende apenas à sua vantagem particular; segundo, a vontade comum dos magistrados, que está relacionada unicamente à vantagem do Príncipe e que pode ser chamada vontade de corpo, a qual é geral em relação ao Governo e particular em relação ao Estado, de que o Governo faz parte; em terceiro lugar, a vontade do povo ou a vontade soberana, a qual é geral tanto em relação ao Estado considerado como o todo quanto em relação ao Governo considerado como parte do todo.

Em uma legislação perfeita, a vontade particular ou individual deve ser nula; a vontade de corpo própria ao Governo, muito subordinada; e a vontade geral ou soberana, sempre dominante e a regra única de todas as outras.

Segundo a ordem natural, ao contrário, essas diferentes vontades se tornam mais ativas à medida que se concentram. Assim, a vontade geral é sempre a mais fraca, a vontade de corpo tem a segunda posição e a vontade particular é a primeira de todas: de modo que, no Governo, cada membro é primeiramente ele próprio, depois magistrado, depois cidadão. Gradação diretamente oposta àquela que a ordem social exige.

Isso posto, ponha-se todo o Governo nas mãos de um único homem: eis aí a vontade particular e a vontade de corpo perfeitamente reunidas e esta, consequentemente, no mais alto grau que pode ter. Ora, como é do grau da vontade que depende o uso da força, e como a força absoluta do Governo não varia, segue-se que o mais ativo dos Governos é o de um só.

Ao contrário, unamos o Governo à autoridade legislativa, façamos do Soberano o Príncipe e de todos os cidadãos, magistrados. Então, a vontade de corpo, confundida com a vontade geral, não terá mais atividade do que esta e deixará a vontade particular em toda a sua força. Assim, sempre com a mesma força absoluta, o Governo estará em seu *mínimo* de força relativa ou de atividade.

Essas relações são incontestáveis, e outras considerações servem ainda para confirmá-las. Percebe-se, por exemplo, que cada magistrado é mais ativo em seu corpo do que cada cidadão no seu e que, portanto, a vontade particular tem muito mais influência nos atos do Governo do que nos do Soberano, pois todo magistrado é quase sempre encarregado de alguma função do Governo, ao passo que cada cidadão, tomado à parte, não tem nenhuma função de soberania. Aliás, quanto mais se estende o Estado, mais sua força real aumenta, embora não aumente em razão de sua extensão; porém, permanecendo o Estado o mesmo, por mais que os magistrados se multipliquem, o Governo não adquire com isso uma força real maior, porque essa força é a do Estado, cuja medida é sempre igual. Portanto, a força relativa ou a atividade do Governo diminui sem que sua força absoluta ou real possa aumentar.

É certo também que a expedição das questões públicas torna-se mais lenta à medida que mais gente é encarregada delas; que, cuidando demais da prudência, não se cuida o bastante da fortuna, cuja ocasião se deixa escapar; e que, de tanto deliberar, perde-se muitas vezes o fruto da deliberação.

Acabo de provar que o Governo se enfraquece à medida que os magistrados se multiplicam e provei acima que, quanto mais numeroso o povo, mais a força repressora deve aumentar. Donde se segue que a relação dos magistrados com o Governo deve ser inversa à relação dos súditos com o Soberano. Ou seja, quanto mais o Estado cresce, mais o Governo deve contrair-se, o número dos chefes diminuindo em razão do aumento do povo.

De resto, falo aqui apenas da força relativa do Governo e não de sua retidão. Pois, ao contrário, quanto mais numeroso é o magistrado, mais a vontade de corpo aproxima-se da vontade geral; ao passo que, sob um magistrado único, essa mesma vontade de corpo não é senão, como eu disse, uma vontade particular. Assim, perde-se de um lado o que se pode ganhar do outro, e a arte do legislador é saber fixar o ponto em que a força e a vontade do Governo, sempre em proporção recíproca, combinam-se na relação mais vantajosa para o Estado.

Capítulo III
Divisão dos governos

Vimos no capítulo precedente por que se distinguem as diversas espécies ou formas de Governo pelo número dos membros que as compõem; resta ver agora como se faz essa divisão.

O Soberano pode, em primeiro lugar, confiar o Governo a todo o povo ou à maior parte do povo, de modo que haja mais cidadãos magistrados do que simples cidadãos individuais. A essa forma de Governo dá-se o nome de *Democracia*.

Ou, então, ele pode restringir o Governo às mãos de um pequeno número, de modo que haja mais simples cidadãos do que magistrados, e essa forma tem o nome de *Aristocracia*.

Pode, enfim, concentrar todo o Governo nas mãos de um magistrado único do qual todos os outros obtêm seu poder. Essa terceira forma é a mais comum e chama-se *Monarquia* ou Governo real.

Deve-se observar que todas essas formas, ou pelo menos as duas primeiras, são suscetíveis de um grau maior ou menor e possuem inclusive uma latitude bastante grande. A Democracia pode abranger todo o povo ou restringir-se à metade. A Aristocracia, por sua vez, pode restringir-se da metade do povo até um pequeno número indeterminado. A própria Realeza é suscetível de alguma divisão. Esparta teve constantemente dois reis por sua constituição, e no Império romano chegou a haver oito imperadores ao mesmo tempo, sem que se pudesse dizer que o Império estivesse dividido. Assim, há um ponto em que cada forma de Governo confunde-se com a seguinte, e vê-se que, sob apenas três denominações, o Governo é em realidade suscetível de tantas formas diversas quanto o Estado o é de cidadãos.

Mais ainda: podendo esse mesmo Governo em certos aspectos subdividir-se em outras partes, uma administrada de um jeito e outra de outro, podem resultar dessas três formas combinadas inúmeras formas mistas, cada uma delas multiplicável por todas as formas simples.

Em todos os tempos, muito se discutiu sobre a melhor forma de Governo, sem considerar que cada uma delas é a melhor em certos casos e a pior em outros.

Se nos diferentes Estados o número dos magistrados supremos deve estar em razão inversa ao de cidadãos, segue-se que em geral o Governo democrático convém aos pequenos Estados, o aristocrático, aos médios e o monárquico, aos grandes. Essa regra é obtida imediatamente do princípio; mas como calcular a multidão de circunstâncias que podem fornecer exceções?

Capítulo IV

Da democracia

Quem faz a lei sabe melhor do que ninguém como ela deve ser executada e interpretada. Parece, pois, que não se pode ter uma melhor constituição do que aquela em que o poder executivo está ligado ao legislativo. Contudo, é exatamente isso que torna esse Governo insuficiente sob certos aspectos, porque as coisas que devem ser distinguidas não o são e porque o Príncipe e o Soberano, sendo a mesma pessoa, formam, por assim dizer, um Governo sem Governo.

Não convém que aquele que faz as leis as execute, nem que o corpo do povo desvie a atenção das ideias gerais para dá-la aos objetos particulares. Nada é mais perigoso do que a influência dos interesses privados nos assuntos públicos, e o abuso das leis pelo Governo é um mal menor do que a corrupção do Legislador, consequência infalível dos propósitos particulares. Sendo o Estado então alterado em sua substância, toda reforma torna-se impossível. Um povo que nunca abusasse do Governo não abusaria tampouco da independência; um povo que governasse sempre bem não teria necessidade de ser governado.

Tomando o termo no rigor da acepção, nunca existiu e nunca existirá verdadeira Democracia. É contra a ordem natural que a maioria governe e que a minoria seja governada. É impossível imaginar um povo permanentemente reunido em assembleia para ocupar-se dos assuntos públicos, e percebe-se facilmente que ele não poderia estabelecer para isso comissões sem mudar a forma da administração.

De fato, creio poder estabelecer como princípio que, quando as funções do Governo são partilhadas entre vários tribunais, os menos numerosos adquirem cedo ou tarde a maior autoridade, nem que seja por causa da facilidade, a que são naturalmente levados, de expedir os assuntos.

Aliás, quantas coisas difíceis de reunir esse Governo supõe! Em primeiro lugar, um Estado muito pequeno em que o povo seja fácil de reunir e no qual cada cidadão possa facilmente conhecer todos os outros. Em segundo lugar, uma grande simplicidade de costumes que evite o acúmulo de questões e as discussões espinhosas. A seguir, muita igualdade nas condições e nas fortunas, sem o que a igualdade não poderia subsistir por muito tempo nos direitos e na autoridade. Enfim, pouco ou nenhum luxo, pois o luxo ou é o efeito das riquezas, ou as torna necessárias; ele corrompe ao mesmo tempo o rico e o pobre, um pela posse e o outro pela cobiça; vende a pátria à indolência e à vaidade; retira do Estado os cidadãos para escravizá-los uns aos outros e todos à opinião.

Eis por que um autor célebre* pôs a virtude como princípio da República, pois todas essas condições não

---

* Montesquieu, em *O espírito das leis*. (N.T.)

poderiam subsistir sem a virtude. No entanto, por não ter feito as distinções necessárias, esse grande gênio careceu em geral de exatidão, às vezes de clareza, e não percebeu que sendo a autoridade soberana, sempre a mesma, o mesmo princípio deve ocorrer em todo Estado bem constituído, em maior ou menor grau, é verdade, segundo a forma de Governo.

Acrescentemos que não há governo tão sujeito às guerras civis e às agitações internas quanto o democrático ou popular, porque não há nenhum outro que tenda de maneira tão forte e contínua a mudar de forma, nem que exija mais vigilância e coragem para ser mantido na sua. É sobretudo nessa constituição que o cidadão deve armar-se de força e de constância e dizer a cada dia de sua vida, no fundo de seu coração, o que dizia um virtuoso palatino* na Dieta da Polônia: *Malo periculosam libertatem quam quietum servitium***. Se houvesse um povo de deuses, ele se governaria democraticamente. Um Governo tão perfeito não convém a homens.

Capítulo V
Da aristocracia

Temos aqui duas pessoas morais muito distintas: o Governo e o Soberano, e portanto duas vontades gerais, uma em relação a todos os cidadãos, a outra somente para os membros da administração. Assim, embora o Governo possa regulamentar sua administração interior como lhe aprouver, ele nunca pode falar ao povo senão em nome do Soberano, isto é, em nome do povo mesmo, o que convém nunca esquecer.

As primeiras sociedades governaram-se aristocraticamente. Os chefes das famílias deliberavam entre si sobre

---

* O palatino (governante) da Posnânia, pai do rei da Polônia, duque de Lorena. (N.A.)
** "É preferível uma liberdade agitada a uma servidão tranquila." (N.T.)

os assuntos públicos. Os jovens cediam sem dificuldade à autoridade da experiência. Daí os nomes de *sacerdotes*, de *anciões*, de *senado*, de *gerontes*. Os selvagens da América do Norte ainda se governam assim em nossos dias e são muito bem governados.

Contudo, à medida que a desigualdade de instituição prevaleceu sobre a desigualdade natural, a riqueza ou o poder* foram preferidos à idade, e a Aristocracia tornou-se eletiva. Enfim, sendo o poder transmitido com os bens do pai aos filhos, e tornando-se patrícias as famílias, o Governo fez-se hereditário e houve senadores de vinte anos de idade.

Portanto, há três espécies de Aristocracia: natural, eletiva, hereditária. A primeira só convém a povos simples; a terceira é o pior de todos os governos. A segunda é o melhor: é a aristocracia propriamente dita.

Junto com a vantagem da distinção dos dois poderes, ela possui a da escolha de seus membros, pois no governo popular todos os cidadãos nascem magistrados, enquanto o aristocrático os limita a um pequeno número, e eles só virão a sê-lo por eleição**; meio pelo qual a probidade, as luzes, a experiência e todas as outras razões de preferência e de estima públicas são outras tantas garantias de que se será sabiamente governado.

Além disso, as assembleias se realizam mais comodamente, as questões se discutem melhor, são expedidas com mais ordem e diligência, o crédito do Estado é melhor sustentado no estrangeiro por veneráveis senadores do que por uma multidão desconhecida ou desprezada.

Em suma, é a melhor ordem e a mais natural que os mais sábios governem a multidão, quando há certeza de que

---

* É claro que entre os antigos a palavra *optimates* não quer dizer os melhores, e sim os mais poderosos. (N.A.)

** É muito importante regulamentar por meio das leis a forma de eleição dos magistrados: pois, quando ela é entregue à vontade do Príncipe, não há como não cair na aristocracia hereditária, como aconteceu às Repúblicas de Veneza e de Berna. A primeira é há muito um Estado em dissolução, mas a segunda mantém-se pela extrema sabedoria de seu senado: eis uma exceção bastante honrosa e bastante perigosa. (N.A.)

governarão em proveito dela e não no deles; não convém multiplicar em vão as instâncias, nem fazer com vinte mil homens o que cem homens escolhidos podem fazer ainda melhor. Mas é preciso observar que o interesse de corpo começa aqui a dirigir menos a força pública, segundo a regra da vontade geral, e que uma outra tendência inevitável retira das leis uma parte do poder executivo.

Considerando as conveniências particulares, não convém nem um Estado tão pequeno nem um povo tão simples e correto que a execução das leis resulte imediatamente da vontade pública, como em uma boa Democracia. Não convém tampouco uma nação tão grande que os chefes, espalhados para governá-la, possam agir como o Soberano, cada um em seu departamento, e comecem a tornar-se independentes para finalmente serem os senhores.

No entanto, se a Aristocracia exige algumas virtudes a menos que o governo popular, ela exige também outras que lhe são próprias, como a moderação entre os ricos e o contentamento entre os pobres, pois uma igualdade rigorosa parece estar aí deslocada; ela não foi observada nem mesmo em Esparta.

De resto, se essa forma comporta uma certa desigualdade de fortuna, é em geral para que a administração dos assuntos públicos seja confiada aos que podem dedicar-lhes todo o seu tempo, mas não, como afirma Aristóteles, para que os ricos sejam sempre preferidos. Ao contrário, convém que uma escolha oposta ensine às vezes ao povo que no mérito dos homens há razões de preferência mais importantes do que a riqueza.

Capítulo VI

Da monarquia

Até aqui consideramos o Príncipe como uma pessoa moral e coletiva, unida pela força das leis e depositária, no Estado, do poder executivo. Temos agora que considerar esse poder reunido nas mãos de uma pessoa natural, de um homem real, o único com direito de dispor segundo as leis. É o que chamamos um Monarca ou um Rei.

Ao contrário das outras administrações, em que um ser coletivo representa um indivíduo, nesta um indivíduo representa um ser coletivo, de modo que a unidade moral que constitui o Príncipe é ao mesmo tempo uma unidade física, na qual estão reunidas todas as faculdades que a lei reúne com tanto esforço na outra.

Assim, a vontade do povo, a vontade do príncipe, a força pública do Estado e a força particular do Governo, tudo responde ao mesmo motivo, todas as instâncias da máquina estão na mesma mão, tudo se dirige ao mesmo objetivo, não há movimentos opostos que se destruam mutuamente, e não se pode imaginar nenhum tipo de constituição na qual o menor esforço produza uma ação mais considerável. Arquimedes, sentado tranquilamente na praia e fazendo sem dificuldade um grande barco navegar, representa para mim um hábil monarca que governa de seu gabinete vastos Estados, parecendo imóvel enquanto faz tudo mover-se.

Contudo, se não há Governo com mais vigor, não há outro em que a vontade particular tenha mais preponderância e domine facilmente as outras; tudo se dirige ao mesmo objetivo, é verdade, mas esse objetivo não é o da felicidade pública, e a própria força da administração não cessa de prejudicar o Estado.

Os reis querem ser absolutos, e há muito lhes dizem que o melhor meio de sê-lo é fazerem-se amar por seus povos. Essa máxima é muito bela e inclusive verdadeira sob alguns aspectos. Infelizmente, sempre zombarão dela nas cortes. O poder que vem do amor dos povos é certamente o maior, mas é precário e condicional: os príncipes nunca se contentarão com ele. Os melhores reis querem poder ser maus se lhes aprouver, sem deixarem de ser os senhores. Por mais que um pregador político lhes diga que, sendo deles a força do povo, seu maior interesse é que o povo seja florescente, numeroso, temível, eles sabem que não é verdade. O interesse pessoal dos reis é, primeiramente, que o povo seja fraco, miserável, e que nunca possa resistir-lhes. Admito que, supondo os súditos perfeitamente submissos, o interesse do Príncipe seria então que o povo fosse poderoso a fim de que esse poder, sendo o dele, o tornasse temível a seus vizinhos; porém, como esse interesse é apenas secundário e subordinado, e como as duas suposições são incompatíveis, é natural que os príncipes sempre deem a preferência à máxima que lhes é mais imediatamente útil. É o que Samuel mostrou com vigor aos hebreus; é o que Maquiavel fez ver com evidência. Ao fingir dar lições aos reis, ele deu grandes lições aos povos. *O Príncipe* de Maquiavel é o livro dos republicanos.

Vimos pelas relações gerais que a monarquia só é conveniente aos grandes Estados e tornamos a descobrir isso ao examiná-la nela mesma. Quanto mais numerosa for a administração pública, tanto mais a relação do Príncipe com os súditos diminui e aproxima-se da igualdade, e essa relação é uma ou a própria igualdade na democracia. A mesma relação aumenta, à medida que o Governo se contrai, e atinge seu *máximo* quando o Governo está nas mãos de um só. Verifica-se então uma distância muito grande entre o Príncipe e o Povo, e o Estado carece de ligação. Para formá-la, são necessárias ordens intermediárias. É preciso haver príncipes, nobres, uma nobreza para ocupá-las. Ora, nada disso convém a um pequeno Estado, que se arruína por todas essas gradações.

Entretanto, se é difícil que um grande Estado seja bem governado, o é muito mais que seja bem governado por um só homem, e todos sabem o que acontece quando o Rei escolhe seus substitutos.

Um defeito essencial e inevitável, que sempre colocará o governo monárquico abaixo do republicano, é que neste a voz pública quase nunca eleva às primeiras posições senão homens esclarecidos e capazes, que as ocupam com honra, ao passo que os escolhidos nas monarquias são, na maioria das vezes, pequenos trapalhões, velhacos e intrigantes, cujos pequenos talentos, que nas cortes têm acesso aos grandes postos, servem apenas para mostrar ao público sua inépcia assim que chegaram a eles. O povo engana-se bem menos que o Príncipe nessa escolha, e um homem de verdadeiro mérito é quase tão raro no ministério quanto um tolo na chefia de um governo republicano. Assim, quando por um feliz acaso um desses homens nascidos para governar assume o timão dos assuntos públicos em uma monarquia quase arruinada por uma leva de administradores incapazes, todos se surpreendem com os recursos que ele encontra, e isso marca época em um país.

Para que um Estado monárquico pudesse ser bem governado, seria preciso que sua grandeza ou sua extensão fosse proporcional às faculdades de quem governa. É mais fácil conquistar do que governar. Com uma alavanca suficiente, pode-se com um dedo abalar o mundo, mas sustentá-lo requer ombros de Hércules. Por menos vasto que seja um Estado, o Príncipe é quase sempre muito pequeno. Ao contrário, quando acontece de o Estado ser muito pequeno para seu chefe, o que é muito raro, ele é também malgovernado, porque o chefe, seguindo sempre a grandeza de seus propósitos, esquece os interesses do povo e não o torna menos infeliz, pelo abuso dos talentos que possui em excesso, do que um chefe limitado, pela ausência dos que lhe faltam. Seria preciso, por assim dizer, que um reino se ampliasse ou se contraísse a cada reinado segundo a capacidade do Príncipe, ao passo que, tendo os talentos do senado medidas mais fixas, o Estado pode ter limites constantes e a administração funcionar igualmente bem.

O mais sensível inconveniente do Governo de um só é a ausência daquela sucessão contínua que forma, nos dois outros, uma ligação ininterrupta. Morto um rei, é necessário um outro; as eleições criam intervalos perigosos, são tempestuosas e, a menos que os cidadãos sejam de um desprendimento, de uma integridade que esse Governo raramente comporta, a intriga e a corrupção instalam-se. É difícil que aquele a quem o Estado se vendeu não o venda por sua vez e não se indenize, retirando dos fracos o dinheiro que os poderosos lhe extorquiram. Cedo ou tarde, tudo se torna venal nessa administração, e a paz que se goza sob os reis é pior do que a desordem dos interregnos.

O que foi feito para prevenir esses males? As coroas passaram a ser hereditárias em certas famílias, e estabeleceu-se uma ordem de sucessão que evita toda disputa à morte dos reis. Ou seja, substituindo o inconveniente das eleições pelo das regências, preferiu-se uma aparente tranquilidade a uma administração sábia, assim como arriscar ter por chefes crianças, monstros, imbecis, a ter que discutir sobre a escolha dos bons reis; não se considerou que, expondo-se assim ao risco da alternativa, colocam-se quase todas as chances contra si. Foram palavras muito sensatas as do jovem Denis a quem o pai, reprovando-lhe uma ação vergonhosa, disse: "Acaso te dei esse exemplo?", ao que lhe respondeu o filho: "Ah, vosso pai não era rei!".

Tudo concorre para privar de justiça e de razão um homem educado para comandar os outros. Dá muito trabalho, ao que dizem, ensinar aos jovens príncipes a arte de reinar; não parece que essa educação lhes seja proveitosa. Fariam melhor em lhes ensinar a arte de obedecer. Os maiores reis que a história celebrou não foram de modo algum educados para reinar; é uma ciência que sempre se possui menos depois de tê-la aprendido e que se adquire melhor obedecendo do que comandando. *Nam utilissimus idem ac brevissimus bonarum malarumque rerum delectus, cogitare quid aut nolueris sub alio Principe aut volueris.**

Um efeito dessa falta de coerência é a inconstância do governo real que, baseando-se ora num plano, ora noutro, segundo o caráter do Príncipe que reina ou das pessoas que

---

* "O meio mais cômodo e mais rápido de discernir o bem do mal é perguntar-te o que terias ou não terias desejado se um outro, que não tu, tivesse sido rei." Tácito: Hist., L. I. (N.T.)

reinam por ele, não pode ter por muito tempo um objeto fixo nem uma conduta coerente: variação que faz o Estado flutuar de uma máxima a outra, de projeto a projeto, e que não ocorre nos outros governos em que o Príncipe é sempre o mesmo. Assim vemos que, em geral, se há mais astúcia em uma corte, há mais sabedoria em um senado, e que as Repúblicas dirigem-se a seus fins por propósitos mais constantes e mais bem observados, ao passo que cada revolução no ministério produz outra no Estado, a máxima comum a todos os ministros, e a quase todos os reis, sendo tomar em todas as coisas a direção oposta de seu predecessor.

Dessa mesma incoerência obtém-se ainda a solução de um sofisma bastante familiar aos políticos da realeza; é não apenas comparar o governo civil ao governo doméstico e o príncipe ao pai de família, erro já refutado, mas também dar liberalmente a esse magistrado todas as virtudes de que ele necessitaria e supor sempre que o Príncipe é o que ele deveria ser: suposição com a ajuda da qual o governo real é evidentemente preferível a qualquer outro, por ser incontestavelmente o mais forte, e segundo a qual, para ser também o melhor, falta-lhe apenas uma vontade de corpo mais conforme à vontade geral.

Contudo, se o rei, segundo Platão*, é por natureza um personagem tão raro, quantas vezes a natureza e a fortuna juntar-se-ão para coroá-lo? E, se a educação real corrompe necessariamente os que a recebem, o que esperar de uma série de homens educados para reinar? Portanto, é querer enganar-se confundir o governo real com o de um bom rei. Para compreender o que é esse governo em si mesmo, basta considerá-lo no caso de príncipes limitados ou maus, pois assim chegarão ao trono, ou o trono os fará assim.

Essas dificuldades não escaparam a nossos autores, que nem por isso se embaraçam. O remédio, dizem eles, é obedecer sem murmurar. Deus dá os maus reis em sua cólera e precisamos suportá-los como castigos do Céu.

---

* *In Civili*. Nova alusão ao diálogo *O político*. (N.A.)

Esse discurso é edificante, por certo, mas não sei se caberia melhor em um púlpito do que em um livro de política. Que dizer de um médico que promete milagres e cuja arte consiste inteiramente em exortar seu enfermo à paciência? Sabemos bem que é preciso suportar um mau governo quando o temos; a questão seria encontrar um bom.

Capítulo VII
Dos governos mistos

Não há, propriamente falando, governo simples. É preciso que um chefe único tenha magistrados subalternos; é preciso que um governo popular tenha um chefe. Assim, na divisão do poder executivo há sempre gradação do número maior ao menor, com a diferença de que ora o grande número depende do pequeno, ora o pequeno depende do grande.

Às vezes, há divisão igual, seja quando as partes constitutivas estão em dependência mútua, como no governo da Inglaterra, seja quando a autoridade de cada parte é independente, porém imperfeita, como na Polônia. Esta última forma é ruim, porque não há unidade no governo e o Estado carece de ligação.

O que é preferível, um governo simples ou um governo misto? Questão bastante debatida entre os políticos e à qual cabe dar a mesma resposta que dei acima sobre toda forma de governo.

O governo simples é o melhor em si pela única razão de ser simples. Porém, quando o poder executivo não depende suficientemente do legislativo, isto é, quando há mais relação do Príncipe com o Soberano do que do Povo com o Príncipe, convém remediar esse defeito de proporção dividindo o governo, pois então suas partes não têm menos autoridade sobre os súditos e a divisão delas as torna, em conjunto, menos fortes contra o Soberano.

Evita-se também o mesmo inconveniente ao estabelecer magistrados intermediários que, conservando a integridade do governo, servem apenas para equilibrar os dois poderes e manter seus direitos respectivos. Então, o governo não é misto, é temperado.

Pode-se remediar por meios semelhantes o inconveniente oposto e criar, quando o governo é demasiado frouxo, tribunais para concentrá-lo. Isso é praticado em todas as democracias. No primeiro caso, divide-se o governo para enfraquecê-lo; no segundo, para reforçá-lo, pois os máximos de força e de fraqueza encontram-se igualmente nos governos simples, enquanto as formas mistas produzem uma força média.

Capítulo VIII

Nem toda forma de governo convém a todo país

Não sendo um fruto de todos os climas, a liberdade não está ao alcance de todos os povos. Quanto mais se medita sobre esse princípio estabelecido por Montesquieu, mais se percebe sua verdade. Quanto mais ele é contestado, mais se oferece a ocasião de estabelecê-lo por novas provas.

Em todos os governos do mundo, a pessoa pública consome e nada produz. De onde lhe vem, então, a substância consumida? Do trabalho de seus membros. É o supérfluo dos particulares que produz o necessário do público. Donde se segue que o estado civil só pode subsistir enquanto o trabalho dos homens render para além de suas necessidades.

Ora, esse excedente não é o mesmo em todos os países do mundo. Em muitos é considerável, em outros, medíocre, em outros, nulo, em outros, ainda, negativo. Essa relação depende da fertilidade do clima, do tipo de trabalho que a terra exige, da natureza de suas produções, da força de seus habitantes, do maior ou menor consumo que lhes é necessário e de várias outras relações semelhantes das quais ele é composto.

Por outro lado, nem todos os governos são da mesma natureza; há uns mais e outros menos vorazes, e as diferenças estão fundadas no princípio segundo o qual, quanto mais as contribuições públicas se distanciam de sua fonte, mais elas se tornam onerosas. Não é pela quantidade dos tributos que se deve avaliar essa carga, mas sim pelo caminho que eles precisam fazer para retornar às mãos das quais saíram. Quando essa circulação é rápida e bem estabelecida, não importa que se pague pouco ou muito: o povo é sempre rico e as finanças vão sempre bem. Ao contrário, mesmo que o povo dê pouco, se esse pouco não lhe retorna, ele logo se esgota continuando a dar: o Estado nunca é rico e o povo é sempre necessitado.

Segue-se que, quanto mais a distância do povo ao governo aumenta, mais os tributos se tornam onerosos. Assim, na Democracia o povo é menos sobrecarregado, na Aristocracia o é mais, na Monarquia carrega o maior peso. A Monarquia, portanto, convém apenas às nações opulentas; a Aristocracia, aos Estados medíocres tanto em riqueza quanto em tamanho; a Democracia, aos Estados pequenos e pobres.

De fato, quanto mais refletimos sobre isso, mais percebemos esta diferença entre os Estados livres e as monarquias: naqueles, tudo se emprega para a utilidade comum; nestas, as forças públicas e particulares são recíprocas e uma aumenta pelo enfraquecimento da outra. Enfim, em vez de governar os súditos para fazê-los felizes, o despotismo os faz miseráveis para governá-los.

Eis portanto, em cada clima, causas naturais para as quais se pode atribuir a forma de governo que o clima acarreta, e dizer inclusive que espécie de habitantes ele deve ter. Os lugares ingratos e estéreis, onde o produto não vale o trabalho, devem permanecer incultos e desertos ou povoados apenas por selvagens. Os lugares onde o trabalho dos homens rende exatamente o necessário devem ser habitados por povos bárbaros, pois neles toda *politia* é impossível. Os lugares onde o excesso do produto sobre o trabalho é medíocre convêm aos povos livres; aqueles onde o território abundante e fértil produz muito com pouco trabalho querem ser governados monarquicamente, para que o luxo do Príncipe consuma o supérfluo excedente dos súditos, pois é melhor que esse excesso seja absorvido pelo governo do que dissipado pelos particulares. Há exceções, eu sei, mas essas exceções mesmas confirmam a regra, pois cedo ou tarde produzem revoluções que reconduzem as coisas à ordem da natureza.

Distingamos sempre as leis gerais das causas particulares que podem modificar o efeito delas. Ainda que todo o Sul fosse coberto de Repúblicas e todo o Norte de Estados despóticos, não deixaria de ser verdade que, pelo efeito do clima, o despotismo convém aos países quentes, a barbárie, aos países frios e a boa *politia*, às regiões intermediárias. Vejo ainda que, concordando quanto ao princípio, pode-se discutir quanto à aplicação: poderão dizer que há países frios muito férteis e meridionais muito ingratos. Mas essa dificuldade só existe para os que não examinam a coisa em todas as suas relações. É preciso, como eu já disse, considerar as dos trabalhos, das forças, do consumo, etc.

Suponhamos que, em dois territórios iguais, um renda cinco e o outro dez. Se os habitantes do primeiro consumirem quatro e os do segundo nove, o excesso do primeiro produto será 1/5 e o do segundo 1/10. Portanto, sendo a relação desses dois excessos inversa à dos produtos, o território que produz apenas cinco dará o dobro de supérfluo daquele que produz dez.

Contudo, não se trata de um dobro de produção, e não creio que ninguém ouse colocar, em geral, a fertilidade dos países frios em igualdade com a dos países quentes. Suponhamos, porém, essa igualdade: comparemos, se quiserem, a Inglaterra com a Sicília, ou a Polônia com o Egito. Mais ao sul, teremos a África e as Índias, mais ao norte, nada mais teremos. Para essa igualdade de produto, que diferença de cultura! Na Sicília, basta arranhar a terra; na Inglaterra, quantos cuidados para cultivá-la! Ora, lá onde são necessários mais braços para dar o mesmo produto, o supérfluo deve ser necessariamente menor.

Considere-se, além disso, que a mesma quantidade de homens consome muito menos nos países quentes. O clima requer frugalidade para viver bem: os europeus que lá querem viver como em seus países morrem de disenteria e de indigestão. *Somos*, diz Chardin*, *animais carnívoros, lobos, em comparação com os asiáticos. Alguns atribuem a frugalidade dos persas ao fato de seu país ser menos cultivado; ao contrário, penso que seu país é menos abundante em víveres porque eles são menos necessários a seus habitantes. Se sua frugalidade*, ele continua, *fosse um efeito da escassez do país, apenas os pobres comeriam pouco, quando isso geralmente acontece com todo o mundo, e comer-se-ia mais ou menos em cada província conforme a fertilidade da região, quando a frugalidade verifica-se em todo o reino. Eles se enaltecem muito de sua maneira de viver, dizendo que basta olhar sua tez para reconhecer o quanto é mais excelente que a dos cristãos. De fato, a tez dos persas é lisa: eles têm a pele bonita, fina e polida, enquanto a dos armênios, seus súditos, que vivem à moda europeia, é áspera, avermelhada, e seu corpo é gordo e pesado.*

Quanto mais se aproximam da linha do Equador, mais os povos vivem com pouco. Quase não comem carne: o arroz, o milho, o cuscuz, a farinha de mandioca são seus alimentos comuns. Há nas Índias milhões de homens cuja alimentação não custa um soldo (moeda) por dia. Mesmo na Europa vemos diferenças sensíveis quanto ao apetite entre os povos do Norte e os do Sul. Um espanhol viverá oito dias do jantar de um alemão. Nos países onde os homens são mais vorazes, o luxo volta-se também para as coisas de consumo. Na Inglaterra, ele se mostra em uma mesa repleta de carnes; na Itália, somos regalados com açúcar e flores.

O luxo das roupas oferece ainda semelhantes diferenças. Nos climas em que as mudanças de estação são rápidas e violentas, temos roupas melhores e mais simples; naqueles em que as pessoas se vestem apenas para se enfeitar, busca-se mais o brilho que a utilidade, as próprias roupas são um luxo. Em Nápoles, veremos diariamente, no Posilipo, homens passeando com casaca dourada e sem

---

* Em *Viagens à Pérsia*. (N.T.)

meias. O mesmo acontece em relação às construções: tudo se entrega à magnificência quando não é preciso temer as injúrias do clima. Em Paris, em Londres, todos querem alojar-se comodamente – e aquecidos. Em Madri, temos salões soberbos, mas não janelas que se fechem, e dorme-se em ninhos de rato.

Os alimentos são muito mais substanciais e suculentos nos países quentes: é uma terceira diferença que não pode deixar de influir sobre a segunda. Por que se comem tantos legumes na Itália? Porque lá são bons, nutritivos, de excelente sabor. Na França, onde são alimentados apenas de água, eles não nutrem e quase não são servidos à mesa. No entanto, os legumes ocupam menos terreno e dão menos trabalho para cultivar. É uma experiência comprovada que o trigo da Barbaria (África do Norte), aliás inferior ao da França, rende muito mais em farinha, e que o da França, por sua vez, rende mais que o trigo do Norte. Donde se pode inferir que uma gradação semelhante se observa geralmente, na mesma direção, do Equador ao pólo. Ora, não é uma desvantagem visível ter em um produto igual uma menor quantidade de alimento?

A todas essas diferentes considerações posso acrescentar uma outra resultante delas e que as reforça: é que os países quentes têm menos necessidade de habitantes que os países frios e poderiam nutri-los mais, o que produz um duplo supérfluo sempre vantajoso para o despotismo. Quando um mesmo número de habitantes ocupa uma grande superfície, as revoltas ficam mais difíceis, porque não se pode agir em comum de maneira rápida e secreta, e porque é sempre fácil para o governo descobrir os projetos e cortar as comunicações. Quanto mais próximo vive um povo numeroso, menos o governo pode usurpar o Soberano: os chefes deliberam tão seguramente em suas salas quanto o Príncipe em seu conselho, e a multidão reúne-se tão prontamente nas praças quanto as tropas nos quartéis. A vantagem de um governo tirânico, portanto, é agir a grandes distâncias. Com o auxílio dos pontos de apoio que ele cria, sua força aumenta à distância como a das alavancas*. A do povo, ao contrário, só age concentrada; ela se evapora e se perde ao estender-se, como o efeito da pólvora espalhada no chão que só se inflama de grão em grão. Os países menos povoados são assim os mais expostos à tirania: os animais ferozes reinam apenas nos desertos.

Capítulo IX

Dos sinais de um bom governo

Portanto, quando se pergunta absolutamente qual é o melhor Governo, faz-se uma pergunta tanto insolúvel quanto indeterminada; ou, se quiserem, ela possui tantas boas soluções quantas são as combinações possíveis nas posições absolutas e relativas dos povos.

No entanto, se me perguntassem por que sinal se pode saber se um povo é bem ou mal governado, seria outra coisa, e a questão, em realidade, poderia resolver-se.

Ela não é resolvida, porém, porque cada um quer resolvê-la à sua maneira. Os súditos enaltecem a tranquilidade pública, os cidadãos, a liberdade dos particulares; um prefere a segurança das posses, outro, a das pessoas; um quer que o melhor governo seja o mais severo, outro afirma que é o mais brando; este quer que os crimes sejam punidos, aquele, que sejam evitados; um considera bom ser temido pelos vizinhos, outro prefere ser ignorado por eles; um está satisfeito quando o dinheiro circula, outro exige que o povo tenha pão. Ainda que chegássemos a um acordo sobre esses pontos e outros semelhantes, teríamos

---

* Isto não contradiz o que eu disse acima (Livro II, cap. IX) sobre os inconvenientes dos grandes Estados: pois tratava-se lá da autoridade do governo sobre seus membros, e aqui se trata de sua força contra os súditos. Seus membros esparsos servem-lhe de pontos de apoio para agir à distância sobre o povo, mas ele não tem nenhum ponto de apoio para agir diretamente sobre seus próprios membros. Assim, em um dos casos, a extensão da alavanca faz sua fraqueza, enquanto no outro faz sua força. (N.A.)

avançado mais? Carecendo as quantidades morais de medida precisa, ainda que todos concordassem quanto ao sinal, como concordariam quanto à avaliação?

De minha parte, surpreendo-me sempre que se desconheça um sinal tão simples ou que se tenha a má-fé de não concordar com ele. Qual a finalidade da associação política? É a conservação e a prosperidade de seus membros. E qual o sinal mais seguro de que eles se conservam e prosperam? É seu número e sua povoação. Portanto, que não se busque em outra parte esse sinal tão disputado. Permanecendo o resto igual, o governo sob o qual, sem meios estrangeiros, sem naturalização, sem colônias, os cidadãos mais povoam e se multiplicam é infalivelmente o melhor, e aquele sob o qual um povo diminui e enfraquece é o pior. Calculadores, a tarefa agora é de vocês: contem, meçam, comparem*.

---

* Segundo o mesmo princípio, devem ser julgados os séculos que merecem a preferência pela prosperidade trazida ao gênero humano. Foram muito admirados aqueles nos quais se viu florescer as letras e as artes, sem examinar-se o objeto secreto de sua cultura, sem considerar seus efeitos funestos: *idque apud imperitos humanitas vocabatur, cum pars servitutis esset* (Os tolos chamavam de humanidade o que já era um começo de servidão). Nunca veremos nas máximas dos livros o interesse grosseiro que faz falar seus autores? Não: digam o que disserem, não é verdade que tudo vai bem quando um país, apesar de seu brilho, despovoa-se, e não basta que um poeta ganhe cem mil libras de renda para que seu século seja o melhor de todos. Convém considerar menos o repouso aparente e a tranquilidade dos chefes do que o bem-estar das nações inteiras e sobretudo das classes mais numerosas. O granizo devasta alguns cantões, mas raramente causa a miséria. As rebeliões, as guerras civis assustam muito os chefes, mas elas não são a verdadeira infelicidade dos povos, que podem inclusive ter um descanso enquanto disputam quem irá tiranizá-los. É de seu estado permanente que nascem suas prosperidades ou suas calamidades reais; quando tudo é esmagado sob um jugo, tudo então perece; e os chefes, ao destruir os povos à vontade, *ubi solitudinem faciunt, pacem appellant* (fazem a solidão e chamam isso de paz). Quando as discórdias dos nobres agitavam o reino da França, e o coadjutor de Paris ia ao parlamento com um punhal no bolso, isso não impedia que o povo francês vivesse feliz, muitos em uma honesta e livre abastança. Outrora, a Grécia floresceu no seio de guerras (cont.)

Capítulo X
Do abuso do governo e de sua tendência a degenerar

Assim como a vontade particular age sempre contra a vontade geral, também o Governo faz um esforço contínuo contra a Soberania. Quanto mais aumenta esse esforço, mais a constituição se altera; e, como não há aqui nenhuma outra vontade de corpo que, resistindo à do Príncipe, faça equilíbrio com ela, cedo ou tarde deve ocorrer que o Príncipe oprima enfim o Soberano e rompa o tratado social. Eis aí um vício inerente e inevitável que desde o nascimento do corpo político tende sem descanso a destruí-lo, assim como a velhice e a morte destroem o corpo do homem.

Há duas vias gerais pelas quais um governo degenera, a saber: quando ele se contrai, ou quando o Estado se dissolve.

O governo se contrai quando passa da maioria à minoria, isto é, da Democracia à Aristocracia e da Aristocracia à Realeza. Esta é sua inclinação natural*. Se retrocedesse

---

(cont.) as mais cruéis: o sangue corria, e o país inteiro estava coberto de homens. Parece, diz Maquiavel, que em meio a assassinatos, proscrições, guerras civis, nossa República tornou-se mais poderosa; a virtude de seus cidadãos, seus costumes, sua independência, tinham mais motivo para reforçá-la do que suas dissensões haviam tido para enfraquecê-la. Um pouco de agitação dá energia às almas, e o que faz realmente prosperar a espécie é menos a paz do que a liberdade. (N.A.)

* A formação lenta e o progresso da República de Veneza em suas lagunas oferece um exemplo notável dessa sucessão; e é muito surpreendente que há mais de duzentos anos os venezianos pareçam estar ainda no segundo termo, que começou no *Serrar di Consiglio* em 1198. Quanto aos antigos duques, não importa o que seja dito a seu respeito no *Squitinio della libertà veneta* (obra de 1612), está provado que não foram de modo algum os soberanos.

Não deixarão de objetar-me que a República romana seguiu um progresso exatamente contrário, passando da monarquia à aristocracia e da aristocracia à democracia. Estou longe de pensar assim.

O primeiro estabelecimento de Rômulo foi um governo misto que degenerou prontamente em despotismo. Por causas particulares, o Estado pereceu antes do tempo, como se vê um recém-nascido morrer (cont.)

da minoria à maioria, poder-se-ia dizer que ele se afrouxa, mas esse progresso inverso é impossível.

Com efeito, o governo só muda de forma quando sua energia, gasta, deixa-o demasiado enfraquecido para poder conservar a forma. Ora, se ele se afrouxa ainda mais, estendendo-se, sua força seria completamente nula e com menos razão subsistiria. É preciso, pois, reabastecer-se e concentrar a energia à medida que ela cede; caso contrário, o Estado se arruína.

O caso da dissolução do Estado pode acontecer de duas maneiras.

Em primeiro lugar, quando o Príncipe não administra mais o Estado segundo as leis e usurpa o poder soberano. Então, produz-se uma mudança significativa: há contração não do Governo, mas do Estado; quero dizer que o grande Estado dissolve-se e forma-se um outro dentro dele, com-

---

(cont.) antes de tornar-se homem. A expulsão dos Tarquínios foi a verdadeira época do nascimento da República. Contudo, ela não adquiriu de início uma forma constante, porque o trabalho ficou pela metade sem a abolição do patriciado. Pois dessa maneira a aristocracia hereditária, que é a pior das administrações, permaneceu em conflito com a democracia, e a forma do governo, sempre incerta e flutuante, só foi fixada, como provou Maquiavel, com o estabelecimento dos tribunos; somente então houve um verdadeiro governo e uma verdadeira democracia. De fato, o povo então era não só o Soberano, mas também magistrado e juiz, o senado sendo apenas um tribunal subalterno para temperar ou concentrar o governo, e os próprios cônsules, embora patrícios, embora primeiros magistrados, embora generais absolutos na guerra, eram em Roma apenas os presidentes do povo.

Desde então viu-se também o governo seguir sua inclinação natural e tender fortemente à aristocracia. Abolido o patriciado como por ele mesmo, a aristocracia não estava mais no corpo dos patrícios como está em Veneza e em Gênova, mas no corpo do senado composto de patrícios e plebeus e até mesmo no corpo dos tribunos quando eles começaram a usurpar um poder ativo: pois as palavras não influem sobre as coisas, e, quando o povo tem chefes que governam por ele, não importa o nome usado por esses chefes, é sempre de aristocracia que se trata.

Do abuso da aristocracia nasceram as guerras civis e o triunvirato. Sila, Júlio César, Augusto tornaram-se em realidade verdadeiros monarcas e, sob o despotismo de Tibério, o Estado acabou dissolvido. A história romana, portanto, não desmente meu princípio: ela o confirma. (N.A.)

posto apenas dos membros do Governo, e que para o resto do povo não é senão seu senhor e seu tirano. De modo que, desde o instante em que o Governo usurpa a soberania, o pacto social é rompido e todos os simples cidadãos, restituídos de direito à sua liberdade natural, são forçados, mas não obrigados, a obedecer.

O mesmo acontece quando os membros do governo usurpam separadamente o poder que devem exercer apenas enquanto corpo, o que não é uma infração menor das leis e produz também grande desordem. Então, temos, por assim dizer, tantos príncipes quantos magistrados, e o Estado, não menos dividido que o Governo, perece ou muda de forma.

Quando o Estado se dissolve, o abuso do Governo, seja ele qual for, recebe o nome comum de *anarquia*. Distinguindo: a Democracia degenera em *oclocracia* (governo da plebe), a Aristocracia em *oligarquia*; eu acrescentaria que a Realeza degenera em *tirania*, mas este último termo é equívoco e requer explicação.

No sentido vulgar, um tirano é um rei que governa com violência e sem respeitar a justiça e as leis. No sentido preciso, um tirano é um indivíduo que se arroga a autoridade real sem ter direito a ela. É assim que os gregos entendiam a palavra tirano: davam-na indiferentemente aos bons e aos maus príncipes cuja autoridade não era legítima*. Assim, *tirano* e *usurpador* são duas palavras perfeitamente sinônimas.

Para dar diferentes nomes a coisas diferentes, chamo *tirano* o usurpador da autoridade real e *déspota* o usurpador do poder soberano. Tirano é quem se intromete, contra as

---

* *Omnes enim et habentur et dicuntur Tyranni qui potestate utuntur perpetua, in ea Civitate quae libertate usa est* (Cornélio Nepos, in Miltiad). É verdade que Aristóteles (*Ética a Nicômaco*, L. VIII, c. 10) distingue o tirano do rei, o primeiro governando para sua própria utilidade e o segundo, apenas para a utilidade de seus súditos; no entanto, além de todos os autores gregos tomarem geralmente a palavra tirano em um outro sentido, como mostra sobretudo o *Hierón*, de Xenofonte, resultaria da distinção de Aristóteles que desde o começo do mundo não teria ainda existido um único rei. (N.A.)

leis, a governar segundo as leis; déspota é quem se coloca acima das próprias leis. Assim, o tirano pode não ser déspota, mas o déspota é sempre tirano.

Capítulo XI
Da morte do corpo político

Tal é a tendência natural e inevitável dos governos mais bem constituídos. Se Esparta e Roma pereceram, que Estado pode esperar durar sempre? Se quisermos formar uma instituição duradoura, não cogitemos, pois, torná-la eterna. Para ter sucesso, não cabe tentar o impossível, nem orgulhar-se de dar à obra dos homens uma solidez que as coisas humanas não possuem.

O corpo político, como o corpo do homem, começa a morrer desde o nascimento e traz em si as causas de sua destruição. Porém, tanto um como o outro pode ter uma constituição mais ou menos robusta e própria a conservá-lo por mais ou menos tempo. A constituição do homem é obra da natureza, a do Estado é obra da arte. Não depende dos homens prolongar sua vida, mas depende deles prolongar a do Estado tanto quanto possível, dando-lhe a melhor constituição que possa ter. O melhor constituído findará, porém mais tarde que um outro, se nenhum acidente imprevisto causar sua destruição antes do tempo.

O princípio da vida política está na autoridade soberana. O poder legislativo é o coração do Estado, o poder executivo é seu cérebro, que dá o movimento a todas as partes. O cérebro pode sofrer paralisia e o indivíduo continuar a viver. Um homem fica imbecil e sobrevive: mas, assim que o coração cessa suas funções, o animal morre.

Não é pelas leis que o Estado subsiste, é pelo poder legislativo. A lei de ontem não obriga hoje, porém o consentimento tácito é presumido do silêncio, e supõe-se que o Soberano confirma incessantemente as leis que ele não revoga, podendo fazê-lo. Tudo o que declarou querer uma vez, ele o quer sempre, a menos que o revogue.

Por que são tão respeitadas as antigas leis? É por essa mesma razão. Deve-se acreditar que foi a excelência das vontades antigas que pôde conservá-las por tanto tempo; se o Soberano não as tivesse reconhecido constantemente salutares, ele as teria revogado mil vezes. Eis por que, longe de se enfraquecerem, as leis adquirem sempre uma força nova em todo Estado bem constituído; o preconceito da antiguidade as torna cada dia mais veneráveis; contudo, onde as leis se enfraquecem ao envelhecerem, isso prova que não há mais poder legislativo e que o Estado não vive mais.

Capítulo XII
Como se mantém a autoridade soberana

O Soberano, não tendo outra força senão o poder legislativo, só age pelas leis; e, não sendo as leis senão atos autênticos da vontade geral, o Soberano só pode agir quando o povo está reunido. O povo, reunido, dirá "que quimera!". É uma quimera hoje, mas não dois mil anos atrás. Mudaram os homens de natureza?

Os limites do possível nas coisas morais são menos estreitos do que supomos. São nossas fraquezas, nossos vícios, nossos preconceitos que os retraem. As almas baixas não creem de modo algum nos grandes homens: escravos vis sorriem com um ar de troça à palavra liberdade.

Pelo que foi feito, consideremos o que se pode fazer. Não falarei das antigas repúblicas da Grécia, mas a República romana era, parece-me, um grande Estado, e a cidade de Roma, uma grande cidade. O último censo contou em Roma quatrocentos mil cidadãos portando armas, e o último levantamento do Império, mais de quatro milhões de cidadãos, sem contar os subordinados, os estrangeiros, as mulheres, as crianças, os escravos.

Que dificuldade não seria reunir frequentemente o povo imenso dessa capital e dos arredores? No entanto, não transcorriam poucas semanas sem que o povo romano fosse reunido, e, inclusive, várias vezes. Ele exercia não apenas os direitos da soberania, mas também uma parte dos do governo. Ocupava-se de certas questões, julgava certas causas, e todo esse povo na praça pública era com frequência magistrado e cidadão.

Remontando aos primeiros tempos das nações, veríamos que a maior parte dos antigos governos, mesmo monárquicos como os dos macedônios e dos francos, tinham semelhantes conselhos. Seja como for, esse simples fato incontestável responde a todas as dificuldades: de sua existência parece-me correto concluir sua possibilidade.

Capítulo XIII
Continuação

Não basta que o povo reunido tenha uma vez fixado a constituição, dando sua aprovação a um corpo de leis: não basta que tenha estabelecido um governo perpétuo, ou que tenha providenciado de uma vez por todas a eleição dos magistrados. Além das assembleias extraordinárias que casos imprevistos podem exigir, é preciso haver outras, fixas e periódicas, que nada pode abolir nem prorrogar, e que no dia marcado o povo seja legitimamente convocado pela lei, sem para isso ser necessário alguma outra convocação formal.

Fora dessas assembleias jurídicas por sua simples data, toda assembleia do povo que não tiver sido convocada pelos magistrados incumbidos de tal função, e segundo as formalidades prescritas, deverá ser considerada como ilegítima e como nulo o que nela se fizer, porque a ordem mesma de reunir-se deve emanar da lei.

Quanto aos retornos mais ou menos frequentes das assembleias legítimas, eles dependem de tantas considerações que sobre esse ponto não se poderiam estabelecer regras precisas. Pode-se apenas dizer em geral que, quanto mais força tiver o governo, com mais frequência o Soberano deve mostrar-se.

Isso pode ser bom, dirão, para uma única cidade, mas o que fazer quando o Estado compreende várias? Dividir-se-á a autoridade soberana, ou deve-se concentrá-la em uma só cidade e sujeitar o resto?

Respondo que não se deve fazer nem uma coisa nem outra. Em primeiro lugar, a autoridade soberana é simples e una, não se pode dividi-la sem destruí-la. Em segundo lugar, uma cidade, como uma nação, não pode legitimamente sujeitar-se a outra, porque a essência do corpo político está na concordância da obediência e da liberdade e porque as palavras *súdito* e *soberano* são correlações idênticas cuja ideia se reúne em uma só palavra: cidadão.

Respondo também que é sempre um mal unir várias cidades em um único centro e, quando se quer fazer essa união, não há como evitar seus inconvenientes naturais. Não há necessidade alguma de objetar, a quem deseja apenas Estados pequenos, o abuso dos grandes: mas como dar aos pequenos Estados força suficiente para resistir aos grandes? Fazendo como as cidades gregas que outrora resistiram ao grande rei e, mais recentemente, como a Holanda e a Suíça, que resistiram à casa da Áustria.

Todavia, se não se pode reduzir o Estado a justos limites, resta ainda um recurso: é não haver capital, é fazer a sede do governo alternadamente em cada cidade, nela reunindo também, de vez em vez, os Estados do país.

Povoem igualmente o território, estendam nele os mesmos direitos, levem a abundância e a vida a toda parte: é assim que o Estado se tornará ao mesmo tempo o mais forte e o mais bem governado possível. Lembrem que os muros das cidades não se formam senão com os destroços das casas dos campos. A cada palácio que vejo erguerem na capital, acredito ver espoliado todo um país.

Capítulo XIV
Continuação

No instante em que o Povo está legitimamente reunido enquanto corpo soberano, toda jurisdição do Governo cessa, o poder executivo é suspenso, e a pessoa do último cidadão é tão sagrada e inviolável como a do primeiro magistrado, porque, onde se encontra o representado, não há mais representante. A maior parte dos tumultos surgidos em Roma nos comícios foi por ter-se ignorado ou negligenciado essa regra. Os cônsules eram então apenas os presidentes do Povo, os tribunos, simples oradores*, e o senado, absolutamente nada.

Esses intervalos de suspensão em que o Príncipe reconhece ou deve reconhecer um superior atual sempre lhe foram temíveis, e as assembleias do povo, que são a égide do corpo político e o freio do Governo, foram em todas as épocas o horror dos chefes: portanto, eles nunca poupam cuidados, nem objeções, nem dificuldades, nem promessas, para afastar os cidadãos. Estes, quando avarentos, covardes, pusilânimes, mais amantes do repouso que da liberdade, não resistem por muito tempo contra os esforços redobrados do Governo; assim, aumentando sem cessar a força de resistência [do Governo], a autoridade soberana acaba por desaparecer, e a maior parte das Cidades cai e perece antes do tempo.

Contudo, entre a autoridade soberana e o governo arbitrário, introduz-se às vezes um poder intermediário do qual é preciso falar.

---

* Mais ou menos no sentido dado a esse nome no parlamento da Inglaterra. A semelhança dessas funções teria posto em conflito os cônsules e os tribunos, mesmo quando toda jurisdição fosse suspensa. (N.A.)

Capítulo XV
Dos deputados ou representantes

Assim que o serviço público deixa de ser a principal tarefa dos cidadãos, e eles preferem servir com sua bolsa e não com sua pessoa, o Estado já está perto da ruína. É preciso marchar em combate? Eles pagam tropas e ficam em casa; é preciso ir ao Conselho? Eles nomeiam deputados e ficam em casa. À força de preguiça e de dinheiro, têm finalmente soldados para escravizar a pátria e representantes para vendê-la.

É a balbúrdia do comércio e das artes, é o ávido interesse de lucro, é a indolência e o amor às comodidades que transformam os serviços pessoais em dinheiro. Cede-se uma parte dos ganhos para aumentá-los à vontade. Deem dinheiro: logo terão cadeias. A palavra *finança* é uma palavra de escravo; ela é desconhecida na Cidade. Em um Estado verdadeiramente livre, os cidadãos fazem tudo com seus braços e nada com dinheiro. Em vez de pagarem para se isentar dos deveres, pagarão para executá-los eles próprios. Estou bem longe das ideias comuns; acredito serem as corveias menos contrárias à liberdade do que os impostos.

Quanto melhor constituído é o Estado, mais os assuntos públicos prevalecem sobre os privados no espírito dos cidadãos. Há inclusive muito menos assuntos privados, pois, como a soma da felicidade comum fornece uma porção mais considerável à cada indivíduo, resta-lhe menos a buscar nos cuidados particulares. Em uma Cidade bem constituída, todos correm às assembleias; sob um mau Governo, ninguém dá um passo para comparecer: porque ninguém se interessa pelo que lá se faz, porque se prevê que a vontade geral não dominará e, enfim, porque os cuidados domésticos absorvem tudo. As boas leis fazem surgir outras melhores, as más conduzem a piores. Assim que alguém diz dos assuntos do Estado "que me importa?", deve-se contar que o Estado está perdido.

O enfraquecimento do amor à pátria, a atividade do interesse privado, a imensidão dos Estados, as conquistas e o abuso do Governo fizeram imaginar a via dos Deputados ou Representantes do povo nas assembleias da nação. É o que em alguns países ousa-se chamar de o Terceiro Estado. Assim, o interesse particular de duas ordens é colocado em primeiro e em segundo lugar, o interesse público somente em terceiro.

A Soberania não pode ser representada pela mesma razão que não pode ser alienada; ela consiste essencialmente na vontade geral, e a vontade não se representa: ela é a mesma ou é outra, não há meio-termo. Os deputados do povo, portanto, não são nem podem ser seus representantes, são apenas comissários; nada podem concluir definitivamente. Toda lei que o Povo em pessoa não ratificou é nula, não é uma lei. O povo inglês pensa ser livre; está muito enganado, pois só o é durante a eleição dos membros do parlamento; tão logo estes são eleitos, ele é escravo, é nada. Nos curtos momentos de sua liberdade, o uso que faz dela mostra bem que merece perdê-la.

A ideia de Representantes é moderna: ela nos vem do governo feudal, desse iníquo e absurdo governo no qual a espécie humana se degrada e o termo homem é desonrado. Nas antigas repúblicas, e mesmo nas monarquias, o Povo nunca teve representantes, não se conhecia essa palavra. É muito singular que em Roma, onde os tribunos eram tão sagrados, ninguém tenha imaginado que eles pudessem usurpar as funções do povo e que, em meio a tão grande multidão, alguma vez tentassem votar em seu nome um único plebiscito. Imagine-se, no entanto, a confusão causada às vezes pela multidão, como no tempo dos Graco, quando uma parte dos cidadãos dava seu sufrágio do alto dos telhados.

Onde o direito e a liberdade são tudo, os inconvenientes são nada. Nesse sábio povo, tudo era feito em sua justa medida: ele deixava aos lictores* o que os tribunos não

---

* Guardas que precediam nas ruas os magistrados romanos. (N.T.)

tinham ousado fazer; não temia que os lictores quisessem representá-lo.

Para explicar, porém, como os tribunos às vezes o representavam, basta conceber como o Governo representa o Soberano. Não sendo a lei senão a declaração da vontade geral, é claro que no poder legislativo o Povo não pode ser representado; contudo, ele pode e deve sê-lo no poder executivo, que é a força aplicada à lei. Isso faz compreender que, bem examinadas as coisas, apenas muito poucas nações têm leis. Seja como for, é certo que os tribunos, não tendo participação alguma no poder executivo, nunca puderam representar o povo romano pelos direitos de seus cargos, mas apenas usurpando os do senado.

Entre os gregos, tudo o que o Povo tinha a fazer, ele o fazia por si mesmo; estava constantemente reunido na praça. Vivia em um clima suave, não era ávido, escravos ocupavam-se de seus afazeres, sua grande questão era a liberdade. Não se tendo mais as mesmas vantagens, como conservar os mesmos direitos? Nossos climas mais duros aumentam nossas necessidades*, durante seis meses do ano a praça pública é inabitável, nossas línguas pouco sonoras não conseguem fazer-se ouvir ao ar livre, estima-se mais o lucro que a liberdade e teme-se menos a escravidão que a miséria.

Quê! A liberdade só se mantém apoiada na servidão? Talvez. Os dois excessos se tocam. Tudo o que não pertence à natureza tem seus inconvenientes, e a sociedade civil mais que todo o resto. Há posições infelizes em que não se pode conservar a liberdade senão à custa da de outrem e nas quais o cidadão só pode ser perfeitamente livre se o escravo é extremamente escravo. Tal era a posição de Esparta. Quanto a nós, povos modernos, não temos escravos, mas o somos; pagamos a liberdade deles com a nossa. Por mais que enalteçam essa preferência, vejo nela mais covardia do que humanidade.

---

* Adotar nos países frios o luxo e a indolência dos orientais é querer ser escravo, é submeter-se ainda mais necessariamente do que eles. (N.A.)

Não quero dizer com isso que devamos ter escravos nem que o direito de escravidão seja legítimo. Digo apenas as razões pelas quais os povos modernos, que se creem livres, têm representantes, e por que os povos antigos não os tinham. Seja como for, a partir do momento em que um Povo se dá representantes, ele não é mais livre, não existe mais.

Tudo bem examinado, não creio doravante ser possível ao Soberano conservar entre nós o exercício de seus direitos se a Cidade não for muito pequena. Porém, se for muito pequena, será subjugada? Não. Mostrarei adiante* como se pode reunir o poder exterior de um grande Povo com o governo flexível e a boa ordem de um pequeno Estado.

Capítulo XVI

A instituição do governo não é de modo algum um contrato

Uma vez bem estabelecido o poder legislativo, trata-se de estabelecer do mesmo modo o poder executivo; pois este último, que só opera por atos particulares, não sendo da essência do outro, está naturalmente separado dele. Se fosse possível ao Soberano, considerado como tal, ter o poder executivo, o direito e o fato seriam tão confundidos que não se saberia mais o que é lei e o que não é, e o corpo político assim desnaturado logo estaria exposto à violência contra a qual foi instituído.

Sendo todos os cidadãos iguais pelo contrato social, todos podem prescrever o que todos devem fazer, ao passo que ninguém tem o direito de exigir que um outro faça o que ele próprio não faz. Ora, é propriamente esse direito,

---

* É o que me havia proposto fazer na continuação deste livro quando, ao tratar das relações externas, eu chegasse às confederações. Matéria inteiramente nova e na qual os princípios ainda estão por ser estabelecidos. (N.A.)

indispensável para fazer viver e mover o corpo político, que o Soberano dá ao Príncipe ao instituir o Governo.

Muitos afirmaram que o ato dessa instituição foi um contrato entre o Povo e os chefes que ele se dá, contrato pelo qual se estipulava entre as duas partes as condições sob as quais uma se obrigava a comandar e a outra a obedecer. Estou certo de que concordarão comigo que essa é uma maneira estranha de contratar! Mas vejamos se tal opinião é sustentável.

Em primeiro lugar, a autoridade suprema não pode modificar-se como tampouco alienar-se, pois limitá-la é destruí-la. É absurdo e contraditório que o Soberano se dê um superior; obrigar-se a obedecer a um senhor é entregar-se em plena liberdade.

Além disso, é evidente que esse contrato do povo com tais ou tais pessoas seria um ato particular. Donde se segue que esse contrato não poderia ser uma lei nem um ato de soberania e que, portanto, seria ilegítimo.

Percebe-se ainda que as partes contratantes estariam entre si apenas sob a lei da natureza e sem nenhuma garantia de seus compromissos recíprocos, o que repugna de todas as maneiras ao estado civil. Como quem tem a força na mão é sempre o mestre da execução, isso equivaleria a dar o nome de contrato ao ato de um homem que dissesse a um outro: "Dou-lhe todos os meus bens, com a condição de que me devolva o que lhe aprouver".

Existe apenas um contrato no Estado, é o da associação, e este exclui por si só qualquer outro. Não se poderia imaginar nenhum contrato público que não fosse uma violação do primeiro.

Capítulo XVII

Da instituição do governo

Sob que ideia deve-se então conceber o ato pelo qual o Governo é instituído? Observarei, em primeiro lugar, que esse ato é complexo ou composto de dois outros, a saber: o estabelecimento da lei e a execução da lei.

Pelo primeiro, o Soberano estatui que haverá um corpo de governo estabelecido sob essa ou aquela forma, e é claro que esse ato é uma lei.

Pelo segundo, o Povo nomeia os chefes que serão encarregados do Governo estabelecido. Ora, sendo essa nomeação um ato particular, ela não é uma segunda lei, mas somente uma consequência da primeira e uma função do Governo.

A dificuldade é entender como se pode ter um ato de Governo antes que o Governo exista e de que maneira o Povo, que é apenas Soberano ou súdito, pode tornar-se Príncipe ou Magistrado em certas circunstâncias.

É aqui também que se descobre uma daquelas surpreendentes propriedades do corpo político, pelas quais ele concilia operações aparentemente contraditórias. Pois a de que falamos se dá por uma conversão súbita da Soberania em Democracia, de modo que, sem nenhuma mudança sensível, e apenas por uma nova relação de todos com todos, os cidadãos transformados em magistrados passam dos atos gerais aos atos particulares e da lei à execução.

Essa mudança de relação não é de modo algum uma sutileza de especulação sem exemplo na prática. Ela ocorre diariamente no parlamento da Inglaterra, onde a Câmara baixa transforma-se, em algumas ocasiões, em grande comitê para melhor discutir as questões públicas, deixando, assim, de ser a Corte soberana que era no instante precedente; de tal sorte que, a seguir, ela informa a si mesma, como Câmara dos Comuns, o que acaba de regulamentar como Grande Comitê e delibera novamente, sob um título, sobre o que já resolveu sob um outro.

Tal é a vantagem própria ao governo democrático: poder ser estabelecido na prática por um simples ato da vontade geral. Feito isso, esse governo provisório permanece em posse, se tal é a forma adotada, ou estabelece em nome do Soberano o Governo prescrito pela lei, tudo estando assim dentro da regra. Não é possível instituir o Governo de uma outra maneira legítima e sem renunciar aos princípios acima expostos.

Capítulo XVIII
Meio de prevenir as usurpações do governo

Desses esclarecimentos resulta, em confirmação do capítulo XVI, que o ato que institui o Governo não é de modo algum um contrato, mas uma Lei; que os depositários do poder executivo não são os senhores do povo, mas seus funcionários; que o povo pode instituí-los e destituí-los quando quiser; que não lhes cabe absolutamente contratar, mas obedecer, e que, ao se encarregarem das funções que o Estado lhes impõe, apenas cumprem seu dever de cidadãos, sem terem o direito de discutir sobre as condições.

Assim, quando acontece de o Povo instituir um governo hereditário, seja monárquico em uma família, seja aristocrático em uma ordem de cidadãos, não se trata em absoluto de um compromisso que ele assume; é uma forma provisória que ele concede à administração, até que lhe agrade ordenar de outro modo.

É verdade que as mudanças são sempre perigosas e que só convém tocar no governo estabelecido quando ele se torna incompatível com o bem público; porém, essa circunspecção é uma máxima de política, e não uma regra de direito, não tendo o Estado a obrigação de entregar a autoridade civil a seus chefes, como tampouco a autoridade militar a seus generais.

É verdade também que não se poderia em semelhante caso observar com muito cuidado todas as formalidades requeridas para distinguir um ato regular e legítimo de um tumulto sedicioso, assim como a vontade de todo um povo dos clamores de uma facção. É aqui, sobretudo, que convém dar ao caso odioso* apenas o que não se lhe pode recusar em todo o rigor do direito, e é também dessa obrigação que o Príncipe obtém uma grande vantagem para conservar seu poder apesar do povo, sem que se possa dizer que o tenha usurpado; pois, parecendo apenas usar seus direitos, lhe é muito fácil estendê-los e impedir, sob o pretexto do repouso público, as assembleias destinadas a restabelecer a boa ordem, de modo que o Príncipe se prevalece de um silêncio que ele impede de romper, ou das irregularidades que comete, para supor em seu favor a opinião daqueles que o temor faz calar e para punir os que ousam falar. É assim que os decênviros, tendo sido inicialmente eleitos por um ano, depois prorrogado por mais um ano, tentaram perpetuar seu poder, não permitindo mais que os comícios se realizassem; é por esse meio fácil que todos os governos do mundo, uma vez revestidos da força pública, usurpam cedo ou tarde a autoridade soberana.

As assembleias periódicas, de que já falamos, servem para prevenir ou adiar essa infelicidade, sobretudo quando não têm necessidade de convocação formal, pois então o Príncipe não poderia impedi-las sem declarar-se abertamente infrator das leis e inimigo do Estado.

A abertura dessas assembleias, que têm por objeto apenas a manutenção do tratado social, deve sempre ser feita por duas proposições que nunca possam ser suprimidas e que sejam submetidas separadamente aos sufrágios.

A primeira: *se apraz ao Soberano conservar a presente forma de Governo.*

A segunda: *se apraz ao Povo deixar sua administração aos que dela estão atualmente encarregados.*

Suponho, aqui, o que acredito ter demonstrado; a saber: que não há no Estado nenhuma lei fundamental que não se possa revogar, nem mesmo o pacto social; se todos os cidadãos se reunissem para romper esse pacto em co-

---

* "Odioso", na tradição jurídica romana, tem o sentido do que envolve perigo. (N.T.)

mum acordo, não se pode duvidar de que ele estaria muito legitimamente rompido. Grotius pensa inclusive que cada um pode renunciar ao Estado do qual é membro e retomar sua liberdade natural e seus bens ao sair do país*. Ora, seria absurdo que todos os cidadãos reunidos não pudessem o que pode separadamente cada um deles.

Fim do Livro III

---

* Obviamente não se abandona o país para furtar-se ao dever e deixar de servir a pátria no momento em que ela tem necessidade de nós. A fuga seria então criminosa e punível; não seria mais retirada, e sim deserção. (N.A.)

Livro IV

Capítulo I
A vontade geral é indestrutível

Quando vários homens reunidos consideram-se como um só corpo, eles têm uma única vontade, relacionada à preservação comum e ao bem-estar geral. Então, todos os meios do Estado são vigorosos e simples, suas máximas são claras e luminosas, não há interesses confusos, contraditórios, o bem comum mostra-se em toda parte com evidência e requer apenas bom senso para ser percebido. A paz, a união e a igualdade são inimigas das sutilezas políticas. Os homens corretos e simples são difíceis de enganar por causa de sua simplicidade; os engodos, os pretextos refinados não os iludem de modo algum; não são sequer bastante finos para serem tolos. Quando vemos no povo mais feliz do mundo* grupos de camponeses resolver as questões do Estado debaixo de um carvalho e comportar-se sempre sabiamente, como não desdenhar os refinamentos das outras nações, que se tornam ilustres e miseráveis com tanta arte e mistérios?

Um Estado assim governado necessita de muito poucas leis e, à medida que é necessário promulgar novas, essa necessidade percebe-se universalmente. O primeiro que as propõe apenas exprime o que todos já sentiram, e não é o caso de manobras nem de eloquência para transformar em lei o que cada um já decidiu fazer, tendo a certeza de que os outros farão como ele.

O que engana os discutidores é que, vendo apenas Estados mal constituídos desde sua origem, não veem senão a impossibilidade de neles manter tal governo. Riem ao imaginar todas as tolices que um impostor habilidoso,

---

* Rousseau alude aos cantões rurais da Suíça. (N.T.)

um falador insinuante poderia impingir ao povo de Paris ou de Londres. Não sabem que Cromwell teria sido chamado ao dever pelo povo de Berna, e o duque de Beaufort à disciplina pelos genebrinos.

Porém, quando o nó social começa a afrouxar-se e o Estado a enfraquecer, quando os interesses particulares começam a fazer-se sentir e as pequenas sociedades a prevalecer sobre a grande, o interesse comum perde-se e encontra opositores, a unanimidade não reina mais nos votos, a vontade geral não é mais a vontade de todos, elevam-se contradições, debates, e a melhor opinião não passa sem disputas.

Enfim, quando o Estado, perto de sua ruína, não subsiste mais senão por uma forma ilusória e vã, quando o vínculo social está rompido e o mais vil interesse ostenta descaradamente o nome sagrado do bem público, então a vontade geral torna-se muda; todos, guiados por motivos secretos, não opinam mais como cidadãos, como se o Estado nunca tivesse existido, e são aprovados, sob o nome de leis, decretos iníquos que têm por finalidade apenas o interesse particular.

Segue-se daí que a vontade geral é aniquilada ou corrompida? Não, ela é sempre constante, inalterável e pura, mas está subordinada a outras que prevalecem sobre ela. Cada um, separando seu interesse do interesse comum, percebe que não pode separar-se deste inteiramente, mas sua participação no mal público parece-lhe nada comparada ao bem exclusivo do qual pretende apropriar-se. Excetuado esse bem particular, ele quer o bem geral para seu próprio interesse tão fortemente quanto qualquer outro. Mesmo vendendo seu voto a preço de ouro, não extingue a vontade geral dentro dele, apenas a escamoteia. A falta que comete é mudar o estado da questão e responder outra coisa ao que lhe perguntam. De modo que, em vez de dizer por seu sufrágio *"é vantajoso ao Estado"*, ele diz *"é vantajoso a tal homem ou a tal partido que essa ou aquela opinião sejam aprovadas"*. Assim, a lei da ordem pública, nas assembleias, não é tanto manter a vontade geral quanto fazer que seja sempre interrogada e que responda sempre.

Eu teria aqui muitas reflexões a fazer sobre o simples direito de votar em todo ato de soberania, direito que nunca pode ser tirado dos cidadãos, e o de opinar, de propor, de dividir, de discutir, que o Governo tem sempre o maior cuidado de só deixar a seus membros; contudo, essa importante matéria exigiria um tratado à parte, e não posso dizer tudo neste.

Capítulo II
Dos sufrágios

Vê-se pelo capítulo precedente que a maneira pela qual se tratam as questões gerais oferece uma indicação bastante segura sobre o estado atual dos costumes e da saúde do corpo político. Quanto maior a concordância nas assembleias, isto é, quanto mais as opiniões se aproximam da unanimidade, mais a vontade geral é dominante; já os longos debates, as dissensões, o tumulto anunciam o crescimento dos interesses particulares e o declínio do Estado.

Isso parece menos evidente quando duas ou várias ordens participam de sua constituição, como em Roma os patrícios e os plebeus, cujas querelas perturbaram com frequência os comícios, mesmo nos mais belos tempos da República; porém, essa exceção é mais aparente do que real. Pois então, pelo vício inerente ao corpo político, tem-se, por assim dizer, dois Estados em um; o que não é verdade para os dois em conjunto, o é para cada um separadamente. E, de fato, mesmo nas épocas mais tempestuosas, os plebiscitos do povo*, quando o senado não se intrometia, passavam sempre tranquilamente e com grande pluralidade dos sufrágios. Tendo os cidadãos só um interesse, o povo tinha uma só vontade.

---

* Alusão ao povo romano. (N.T.)

Na outra extremidade do círculo, reaparece a unanimidade. É quando os cidadãos, caídos na servidão, não têm mais liberdade nem vontade. Então, o temor e a bajulação transformam os sufrágios em aclamação; não se delibera mais, adora-se ou amaldiçoa-se. Tal era a vil maneira de opinar do senado no tempo dos imperadores. Às vezes, isso se fazia com precauções ridículas. Tácito observa que, sob Otão, os senadores, ao lançarem execrações contra Vitélio*, procuravam ao mesmo tempo fazer um ruído assustador a fim de que, se este eventualmente se tornasse o senhor, não pudesse saber o que cada um deles dissera.

Dessas diversas considerações nascem as máximas segundo as quais se deve regulamentar a maneira de contar os votos e comparar as opiniões, segundo a vontade geral seja mais ou menos fácil de conhecer e o Estado, mais ou menos declinante.

Há uma única lei que, por sua natureza, exige um consentimento unânime: é o pacto social. Pois a associação civil é o ato mais voluntário do mundo; tendo todo homem nascido livre e senhor de si mesmo, ninguém pode, sob qualquer pretexto que seja, sujeitá-lo sem seu consentimento. Decidir que o filho de um escravo nasce escravo é decidir que ele não nasce homem.

Portanto, se por ocasião do pacto social houver opositores, sua oposição não invalida o contrato, apenas impede que sejam compreendidos nele; são estrangeiros entre os cidadãos. Quando o Estado é instituído, o consentimento está na residência: habitar o território é submeter-se à soberania**.

Fora desse contrato primitivo, o voto da maioria obriga sempre todos os outros; é uma consequência do contrato mesmo. No entanto, pergunta-se como pode um homem ser livre e conformar-se a vontades que não são as

---

* Aquele que haveria de derrotar Otão no ano 69. (N.T.)

** Isto deve sempre ser entendido de um Estado livre, pois a família, os bens, a falta de asilo, a necessidade, a violência podem reter um habitante no país contra sua vontade. Nesse caso, sua simples residência não supõe mais seu consentimento ao contrato ou à violação do contrato. (N.A.)

suas. De que maneira os opositores são livres e submetidos a leis às quais não consentiram?

Respondo que a questão está mal colocada. O cidadão consente a todas as leis, mesmo aquelas aprovadas sem seu consentimento e mesmo aquelas que o punem quando ousa violar alguma. A vontade constante de todos os membros do Estado é a vontade geral, é por ela que eles são cidadãos e livres*. Quando se propõe uma lei na assembleia do Povo, o que se pergunta não é precisamente se aprovam a proposição ou se a rejeitam, mas se ela é conforme ou não à vontade geral que é a deles; ao dar seu sufrágio, cada um diz sua opinião sobre esse ponto, e do cálculo dos votos tira-se a declaração da vontade geral. Assim, quando a opinião contrária à minha prevalece, isso prova apenas que eu estava enganado, que o que eu julgava ser a vontade geral não o era. Se minha opinião particular tivesse prevalecido, eu teria feito algo diferente do que queria e, então, não teria sido livre.

Isso supõe, é verdade, que todos os caracteres da vontade geral estejam ainda na pluralidade; quando deixam de estar, não importa o partido que se tome, não há mais liberdade.

Ao mostrar mais acima como a vontade geral era substituída pelas vontades particulares nas deliberações públicas, indiquei suficientemente os meios praticáveis de evitar esse abuso; voltarei a falar disso adiante. Acerca do número proporcional dos sufrágios para declarar essa vontade, também apresentei os princípios sobre os quais se pode determiná-lo. A diferença de um único voto rompe a igualdade, um único opositor rompe a unanimidade; porém, entre a unanimidade e a igualdade há várias divisões desi-

---

* Em Gênova, lê-se diante das prisões e nos ferros dos galerianos a palavra *Libertas*. Essa aplicação da divisa é bela e justa. De fato, são os malfeitores de todas as condições que impedem o cidadão de ser livre. Em um país onde toda essa gente estivesse nas galeras, haveria a mais perfeita liberdade. (N.A.)

guais, a cada uma delas pode-se fixar esse número conforme o estado e as necessidades do corpo político.

Duas máximas gerais podem servir para regular essas relações: uma é que, quanto mais importantes e graves são as deliberações, mais a opinião que prevalece deve aproximar-se da unanimidade; a outra é que, quanto mais celeridade exige a questão em discussão, mais deve diminuir a diferença prescrita na divisão das opiniões; nas deliberações a serem tomadas imediatamente, a diferença de um voto deve bastar. A primeira dessas máximas parece mais conveniente às leis, a segunda, às questões de governo. Seja como for, é na combinação delas que se estabelecem as melhores relações que se pode dar à pluralidade para pronunciar-se.

Capítulo III
Das eleições

Acerca das eleições do Príncipe e dos Magistrados, que são, como eu disse, atos complexos, há dois caminhos para proceder a elas, a saber: a escolha e o sorteio. Tanto uma quanto o outro foram empregados em diversas Repúblicas, e vemos ainda atualmente uma mistura muito complicada dos dois na eleição do Doge de Veneza.

O sufrágio pelo sorteio, diz Montesquieu, *é da natureza da Democracia*. Concordo, mas como acontece? *O sorteio*, ele continua, *é um modo de eleger que não aflige ninguém; ele deixa a cada cidadão uma esperança razoável de servir à pátria*. Isso não são razões.

Se prestarmos atenção ao fato de que a eleição dos chefes é uma função do Governo e não da Soberania, veremos por que o caminho do sorteio é mais da natureza da Democracia, na qual a administração é tanto melhor quanto menos se multiplicam seus atos.

Em toda verdadeira Democracia, a magistratura não é uma vantagem, mas um encargo oneroso, que não se pode com justiça impor a um indivíduo em vez de um outro. Somente a lei pode impor esse encargo àquele sobre quem a sorte incidir. Pois então, sendo a condição igual para todos e a escolha não dependendo de nenhuma vontade humana, não há aplicação particular que altere a universalidade da lei.

Na Aristocracia, o Príncipe escolhe o Príncipe, o Governo conserva-se por ele mesmo, e é aí que cabem melhor os sufrágios.

O exemplo da eleição do Doge de Veneza confirma essa distinção, em vez de destruí-la. Essa forma mesclada convém a um Governo misto, pois é um erro tomar o governo de Veneza por uma verdadeira aristocracia. Se nela o povo não tem participação alguma no governo, a nobreza é o próprio povo. Uma multidão de pobres *barnabotti** nunca se aproximou de nenhuma magistratura e da nobreza possui apenas o vão título de Excelência e o direito de assistir ao grande Conselho. Como esse grande Conselho é tão numeroso quanto nosso Conselho Geral em Genebra, seus ilustres membros não têm mais privilégios do que nossos simples cidadãos. É certo que, descontada a extrema disparidade das duas Repúblicas, a burguesia de Genebra representa exatamente o patriciado veneziano, nossos nativos e habitantes representam os citadinos e o povo de Veneza, e nossos camponeses representam os súditos da terra firme: enfim, não importa como se considere essa República, e não levando em conta o tamanho, seu governo não é mais aristocrático do que o nosso. Toda a diferença é que, não tendo nenhum chefe vitalício, não temos a mesma necessidade do sorteio.

As eleições por sorteio teriam pouco inconveniente em uma verdadeira Democracia em que, sendo tudo igual, tanto pelos costumes e pelos talentos quanto pelas máximas e pela fortuna, a escolha se tornasse quase indiferente. Mas já afirmei que não existe verdadeira Democracia.

---

* Habitantes pobres do bairro de São Barnabé, em Veneza. (N.T.)

Quando a escolha e o sorteio encontram-se misturados, a primeira deve preencher os cargos que exigem talentos próprios, como as funções militares; o outro convém àqueles nos quais bastam o bom senso, a justiça, a integridade, como as funções de judicatura, porque em um Estado bem constituído essas qualidades são comuns a todos os cidadãos.

Nem o sorteio nem os sufrágios ocorrem no governo monárquico. Sendo o monarca, de direito, o único Príncipe e o único Magistrado, a escolha de seus assessores compete somente a ele. Quando o abade de St. Pierre propunha multiplicar os Conselhos do rei da França e eleger seus membros por escrutínio, ele não percebia que propunha mudar a forma do Governo.

Restar-me-ia falar da maneira de dar e de recolher os votos na assembleia do povo, mas talvez o histórico do governo romano a esse respeito explique melhor todas as máximas que eu poderia estabelecer. Não é indigno de um leitor judicioso examinar mais detalhadamente como eram tratadas as questões públicas e particulares em um conselho de duzentos mil homens.

Capítulo IV

Dos comícios romanos

Não temos nenhum documento bastante seguro dos primeiros tempos de Roma; há indícios inclusive de que a maior parte do que se diz a respeito são fábulas*, e geralmente a parte mais instrutiva dos anais dos povos, que é a história de seu estabelecimento, é a que mais nos falta. A experiência nos ensina diariamente de quais causas nascem as revoluções dos impérios; porém, como não se

---

* A palavra *Roma*, que afirmam vir de *Romulus*, é grega e significa *força*; a palavra *Numa* também é grega e significa *lei*. É curioso que os dois primeiros reis dessa cidade tenham portado antecipadamente nomes tão de acordo com o que fizeram! (N.A.)

formam mais povos, é raro não termos senão conjecturas para explicar a maneira como se formaram.

Os costumes que estão estabelecidos atestam, pelo menos, que houve uma origem para tais costumes. Tradições que remontam a essas origens, as que as maiores autoridades apoiam e que mais fortes razões confirmam, devem ser tidas como as mais certas. Eis aí as máximas que procurei seguir ao examinar como o povo mais livre e mais poderoso da terra exercia seu poder supremo.

Após a fundação de Roma, a República nascente – isto é, o exército do fundador, composto de albanos, sabinos e estrangeiros – foi dividida em três classes, que por essa divisão tomaram o nome de *tribos*. Cada uma dessas tribos subdividiu-se em dez cúrias, e cada cúria em decúrias, na chefia das quais puseram-se chefes chamados *curiões* e *decuriões*.

Além disso, foi tirado de cada tribo um corpo de cem cavaleiros ou cavalheiros, chamado de centúria: por onde se percebe que essas divisões, pouco necessárias em um burgo, eram de início apenas militares. Contudo, parece que um instinto de grandeza levava a pequena cidade de Roma a dar-se antecipadamente um governo próprio à capital do mundo.

Dessa primeira divisão logo resultou um inconveniente. É que, continuando a tribo dos albanos* e a dos sabinos** na mesma situação, enquanto a dos estrangeiros*** não parava de crescer por um contínuo afluxo, esta última não tardou a ultrapassar as outras duas. O remédio encontrado por Sérvio para esse perigoso abuso foi mudar a divisão e substituir a das raças, que ele aboliu, por uma outra baseada nos lugares da cidade ocupados por cada tribo. Em vez de três tribos, criou quatro, cada uma das quais ocupava uma das colinas de Roma e portava seu nome. Remediando assim a desigualdade presente, ele a preveniu também em relação ao futuro; e, para que essa divisão não fosse

---

* *Ramnenses*.(N.A.)

** *Tatienses*. (N.A.)

*** *Luceres*. (N.A.)

apenas de lugares, mas de homens, proibiu aos habitantes de uma área passarem para outra, o que impediu as raças de se confundirem.

Com isso, ele dobrou as antigas centúrias da cavalaria e acrescentou-lhes outras doze, porém sempre com os antigos nomes; meio simples e judicioso pelo qual acabou por distinguir o corpo dos cavaleiros do do Povo, sem causar descontentamento neste último.

A essas quatro tribos urbanas Sérvio acrescentou outras quinze chamadas tribos rústicas, porque formadas pelos habitantes dos campos, divididos em número igual de cantões. Posteriormente, foram feitas novas divisões, e o povo romano viu-se enfim dividido em 35 tribos, número ao qual permaneceram fixados até o final da República.

Dessa distinção das tribos da cidade e das tribos do campo resultou um efeito digno de se observar, porque não há nenhum outro exemplo disso e porque Roma lhe deve ao mesmo tempo a conservação de seus costumes e o crescimento de seu domínio. Acreditar-se-ia que as tribos urbanas logo se arrogaram o poder e as honrarias e não tardaram a rebaixar as tribos rústicas: ocorreu exatamente o contrário. Conhecemos o gosto dos primeiros romanos pela vida campestre. Esse gosto vinha-lhes do sábio instituidor que uniu à liberdade os trabalhos rústicos e militares, relegando, por assim dizer, as artes, os ofícios, a intriga, a fortuna e a escravidão à cidade.

Assim, como tudo o que Roma tinha de ilustre vivia nos campos e cultivava as terras, adotou-se o costume de buscar lá os sustentáculos da República. Esse estado, sendo o dos mais dignos patrícios, foi honrado por todos: preferiu-se a vida simples e laboriosa dos aldeões à vida ociosa e covarde dos burgueses de Roma, e aquele que na cidade teria sido apenas um proletário infeliz tornou-se, como lavrador nos campos, um cidadão respeitado. Não é sem razão, dizia Varrão, que nossos magnânimos antepassados estabeleceram na aldeia o viveiro daqueles robustos e valentes homens que os defendiam em tempos de guerra e os alimentavam em tempos de paz. Plínio diz positivamente que as tribos dos campos eram honradas por causa dos homens que as compunham, ao passo que eram transferidos para as da cidade, por ignomínia, os covardes que se queria humilhar. O sabino Ápio Cláudio, tendo vindo estabelecer-se em Roma, foi cumulado de honrarias e inscrito em uma tribo rústica que adotou posteriormente o nome de sua família. Os alforriados, enfim, entravam em todas as tribos urbanas, nunca nas rurais, e em toda a República não há um só exemplo de um desses alforriados ter chegado a alguma magistratura, mesmo sendo cidadão.

Essa máxima era excelente, mas foi levada tão longe que dela resultou por fim uma mudança e certamente um abuso no governo.

Em primeiro lugar, os censores, após terem se arrogado por muito tempo o direito de transferir arbitrariamente os cidadãos de uma tribo a outra, permitiram à maioria inscrever-se naquela que lhe agradava; permissão que era seguramente inútil e que tirava um dos grandes recursos da censura. Além disso, como os nobres e os poderosos passaram todos a se inscrever nas tribos do campo, e como os alforriados, transformados em cidadãos, juntaram-se à populaça das tribos da cidade, as tribos em geral deixaram de ter lugar e território, ficando todas tão misturadas que não se podia mais discernir os membros de cada uma senão pelos registros, de modo que a ideia da palavra *tribo* passou assim do real ao pessoal, ou melhor, tornou-se quase uma quimera.

Sucedeu também que as tribos da cidade, estando mais próximas, foram com frequência as mais fortes nos comícios e venderam o Estado aos que compravam os sufrágios da canalha que as compunha.

Com relação às cúrias, tendo o instituidor criado dez delas em cada tribo, todo o povo romano, então encerrado dentro dos muros da cidade, viu-se composto de trinta cúrias, cada qual com seus templos, seus deuses, seus oficiais, seus sacerdotes e suas festas chamadas *compitalia*, semelhantes às *paganalia* que as tribos rústicas posteriormente tiveram.

Como esse número de trinta, na nova divisão de Sérvio, não podia repartir-se igualmente em suas quatro tribos, ele não quis alterá-lo, e as cúrias independentes das tribos passaram a ser uma outra divisão dos habitantes de Roma. Contudo, não se tratava mais de cúrias nem nas tribos rústicas, nem no povo que as compunha, porque, tendo as tribos se tornado um estabelecimento puramente civil, e tendo sido introduzida uma outra administração para o recrutamento das tropas, as divisões militares de Rômulo mostraram-se supérfluas. Assim, embora todo cidadão estivesse inscrito em uma tribo, faltava muito para que cada um o estivesse em uma cúria.

Sérvio fez ainda uma terceira divisão que não tinha relação alguma com as duas precedentes e que, por seus efeitos, tornou-se a mais importante de todas. Ele distribuiu todo o povo romano em seis classes, não distinguidas nem pelo lugar nem pelos homens, mas pelos bens, as primeiras sendo ocupadas pelos ricos, as últimas, pelos pobres e as médias, pelos que gozavam de uma fortuna medíocre. Essas seis classes eram subdivididas em 193 outros corpos chamados centúrias, e esses corpos estavam de tal modo distribuídos que somente a primeira classe compreendia mais da metade, formando a última apenas um. Desse modo, sucedeu que a classe menos numerosa em homens o era mais em centúrias e que a última classe inteira era contada apenas como uma subdivisão, embora contivesse sozinha mais da metade dos habitantes de Roma.

A fim de que o povo percebesse menos as consequências dessa última forma, Sérvio fingiu dar-lhe uma aparência militar: inseriu na segunda classe duas centúrias de armeiros e duas de instrumentos de guerra na quarta. Em cada classe, com exceção da última, distinguiu os jovens e os velhos, isto é, os que eram obrigados a portar armas e os que a lei isentava em função da idade; distinção que, mais que a dos bens, produziu a necessidade de recomeçar com frequência o censo ou a contagem. Enfim, quis que a assembleia se realizasse no campo de Marte e que todos aqueles em idade de servir comparecessem com suas armas.

A razão pela qual ele não seguiu na última classe a mesma divisão entre jovens e velhos é que não se concedia de modo algum à populaça, da qual se compunha, a honra de portar armas pela pátria; era preciso ter um lar para obter o direito de defendê-lo, e das inúmeras tropas de miseráveis, com que hoje brilham os exércitos dos reis, não há talvez um só que não tivesse sido expulso com desdém por uma coorte romana quando os soldados eram os defensores da liberdade.

Houve uma distinção, porém, ainda na última classe, entre os *proletários* e os que eram chamados *capite censi*. Os primeiros, não inteiramente reduzidos a nada, davam pelo menos cidadãos ao Estado e até mesmo soldados nas necessidades prementes. Quanto aos que não tinham absolutamente nada e que só podiam ser contados por suas cabeças, eram considerados como completamente nulos, e Mário foi o primeiro que se dignou alistá-los.

Sem decidir aqui se essa terceira divisão era boa ou má em si mesma, creio poder afirmar aqui que somente os costumes simples dos primeiros romanos, sua generosidade, seu gosto pela agricultura, seu desprezo pelo comércio e pela vontade de lucro poderiam torná-la praticável. Onde está o povo moderno no qual a devoradora avidez, o espírito inquieto, a intriga, os deslocamentos contínuos, as perpétuas revoluções das fortunas possam deixar durar por vinte anos um tal estabelecimento sem subverter todo o Estado? Cabe inclusive observar que os costumes e a censura, mais fortes que essa instituição, corrigiram seu vício em Roma e que um rico viu-se relegado à classe dos pobres por ter ostentado demais sua riqueza.

De tudo isso pode-se facilmente compreender por que quase nunca são mencionadas senão cinco classes, embora houvesse realmente seis. A sexta, não fornecendo nem soldados ao exército nem votantes ao campo de Marte*, e não tendo quase nenhum uso na República, raramente era contada para alguma coisa.

Tais foram as diferentes divisões do povo romano. Vejamos agora o efeito que elas produziam nas assembleias. Essas assembleias legitimamente convocadas chamavam-se *comícios*, realizavam-se geralmente na praça de Roma ou no campo de Marte e distinguiam-se em comícios por cúrias, comícios por centúrias e comícios por tribos, segundo aquela das três formas na qual estavam ordenados: os comícios por cúrias eram instituição de Rômulo, os por centúrias, de Sérvio, os por tribos, dos tribunos do povo. Nenhuma lei recebia a aprovação, nenhum magistrado era eleito senão nos Comícios, e, como não havia nenhum cidadão que não estivesse inscrito em uma cúria, em uma centúria ou em uma tribo, segue-se que nenhum cidadão estava excluído do direito de sufrágio e que o povo romano era verdadeiramente Soberano, de direito e de fato.

Para que os Comícios fossem legitimamente convocados, e o que neles se fizesse tivesse força de lei, eram necessárias três condições: a primeira, que o corpo ou o magistrado que as convocava estivesse revestido da autoridade necessária; a segunda, que a assembleia se realizasse em um dos dias permitidos pela lei; a terceira, que os augúrios fossem favoráveis.

A razão do primeiro regulamento não precisa ser explicada. O segundo é uma questão de administração; assim, não era permitido realizar comícios nos dias de feira e de mercado, quando as pessoas que vinham a Roma para

---

* Digo *campo de Marte* porque era lá que se reuniam os comícios por centúrias. Nas duas outras formas, o povo reunia-se no fórum ou em outro lugar, e então os *capite censi* tinham tanta influência e autoridade quanto os primeiros cidadãos. (N.A.)

realizar negócios não tinham tempo para passar o dia na praça pública. Pelo terceiro, o Senado refreava um povo orgulhoso e irrequieto, moderando também o ardor dos tribunos sediciosos, mas estes encontraram mais de um meio de livrar-se desse obstáculo.

As leis e a eleição dos chefes não eram os únicos pontos submetidos ao julgamento dos Comícios. Tendo o povo romano usurpado as mais importantes funções do Governo, pode-se dizer que a sorte da Europa era decidida em suas assembleias. Essa variedade de objetos dava lugar a diversas formas que tais assembleias tomavam, conforme os assuntos sobre os quais devia pronunciar-se.

Para julgar essas diversas formas, basta compará-las. Ao instituir as cúrias, Rômulo tinha em vista conter o Senado pelo Povo e o Povo pelo Senado, dominando igualmente a todos. Assim, por essa forma ele deu ao povo a autoridade do número para contrabalançar a do poder e das riquezas que reservava aos patrícios. Porém, segundo o espírito da Monarquia, deixou mais vantagens aos patrícios pela influência de seus clientes sobre a pluralidade dos sufrágios. Essa admirável instituição dos Patrões e dos Clientes foi uma obra-prima de política e de humanidade, sem a qual o patriciado, tão contrário ao espírito da República, não teria podido subsistir. Somente Roma teve a honra de dar ao mundo esse belo exemplo, do qual nunca resultou abuso e que, no entanto, nunca foi seguido.

Como essa mesma forma das cúrias subsistiu sob os reis até Sérvio; e, não contando como legítimo o reinado do último Tarquínio, as leis da realeza geralmente foram distinguidas pelo nome de *leges curiatae*.

Sob a República, as cúrias, sempre limitadas às quatro tribos urbanas e não abrangendo senão a populaça de Roma, não podiam convir nem ao Senado que chefiava os patrícios, nem aos tribunos que, embora plebeus, chefiavam os cidadãos abastados. Elas caíram, portanto, em descrédito, e seu rebaixamento foi tal que seus trinta lictores reunidos faziam o que os comícios por cúrias deveriam ter feito.

A divisão por centúrias era tão favorável à Aristocracia que não se compreende, de início, por que o Senado nem sempre prevalecia nos comícios que tinham esse nome e pelos quais eram eleitos os cônsules, os censores e todo magistrado curul*. De fato, das 193 centúrias que formavam as seis classes de todo o povo romano, a primeira classe compreendia 98; contando-se os votos apenas por centúrias, somente essa primeira classe superava em número de votos todas as outras. Quando todas as suas centúrias estavam de acordo, nem se continuava a contar os sufrágios; o que a minoria decidia passava por uma decisão da multidão, e pode-se dizer que nos comícios por centúrias as questões eram resolvidas bem mais pela pluralidade dos escudos que pela dos votos.

No entanto, essa extrema autoridade era temperada por dois meios. Primeiro, os tribunos que geralmente pertenciam à classe dos ricos, bem como um grande número de plebeus, contrabalançavam o crédito dos patrícios nessa primeira classe.

O segundo meio era que, em vez de as centúrias votarem de acordo com sua ordem, o que significaria sempre começar pela primeira, sorteava-se uma delas e somente essa** procedia à eleição; depois, todas as centúrias, convocadas em um outro dia segundo sua hierarquia, repetiam a mesma eleição e a confirmavam ordinariamente. A autoridade do exemplo era tirada assim da hierarquia e dada ao sorteio segundo o princípio da Democracia.

Resultava desse costume uma outra vantagem ainda: os cidadãos do campo tinham o tempo, entre as duas eleições, de se informar do mérito do candidato provisoriamente nomeado a fim de só lhes darem o voto com conhecimento de causa. Contudo, sob pretexto de

---

* Diz-se dos altos dignitários romanos que podiam sentar-se em uma cadeira que tinha esse nome. (N.T.)

** Essa centúria assim sorteada chama-se *prae rogativa*, por ser a primeira a quem era pedido o sufrágio, e foi daí que veio a palavra *prerrogativa*. (N.A.)

celeridade, acabou-se por abolir esse costume, e as duas eleições fizeram-se no mesmo dia.

Os Comícios por tribunos eram propriamente o Conselho do povo romano. Eram convocados apenas pelos tribunos, que neles eram eleitos, assim como neles eram aprovados os plebiscitos. Ali não apenas o Senado não tinha preponderância, como nem sequer o direito de comparecer; forçados a obedecer a leis que não haviam podido votar, os senadores, nesse aspecto, eram menos livres que os últimos dos cidadãos. Essa injustiça era muito malcompreendida e bastava para invalidar os decretos de um corpo no qual nem todos os seus membros eram admitidos. Todavia, ainda que todos os patrícios assistissem a tais comícios segundo o direito que tinham como cidadãos, transformados então em simples particulares, eles pouco teriam influído sobre uma forma de sufrágios recolhidos por cabeça, na qual o menor proletário podia tanto quanto o Príncipe do Senado.

Portanto, percebe-se que, além da ordem que resultava dessas diversas distribuições para o recolhimento dos sufrágios de um povo tão grande, essas distribuições não se reduziam a formas indiferentes nelas mesmas, mas cada uma tinha efeitos relativos às intenções que a faziam preferir.

Sem entrar aqui em mais longos detalhes, resulta dos esclarecimentos precedentes que os comícios por tribunos eram os mais favoráveis ao governo popular e os comícios por centúrias, à aristocracia. Com relação aos comícios por cúrias em que a pluralidade era formada pela populaça de Roma, acabaram caindo em descrédito por servirem apenas para favorecer a tirania e os maus propósitos, os próprios sediciosos abstendo-se de um meio que punha muito à mostra seus projetos. É certo que toda a majestade do povo romano encontrava-se apenas nos comícios por centúrias, os únicos completos, já que nos comícios por cúrias faltavam as tribos rústicas e, nos comícios por tribos, o Senado e os patrícios.

Quanto à maneira de recolher os sufrágios, entre os primeiros romanos ela era tão simples quanto seus costumes, embora menos simples do que em Esparta. Cada um dava seu sufrágio em voz alta e um escrivão ia anotando; maioria de votos em cada tribo determinava o sufrágio da Tribo, maioria de votos entre as tribos determinava o sufrágio do povo, o mesmo valendo para as cúrias e as centúrias. Esse costume era bom enquanto a honestidade reinava entre os cidadãos e todos tinham vergonha de dar publicamente seu voto a uma opinião injusta ou a um sujeito indigno; porém, quando o povo se corrompeu e votos eram comprados, decidiu-se que estes seriam dados em segredo a fim de conter os compradores pela desconfiança e fornecer aos tratantes o meio de não parecerem traidores.

Sei que Cícero censura essa mudança e atribui-lhe em parte a ruína da República. No entanto, embora eu reconheça o peso que deve ter aqui a autoridade de Cícero, não posso concordar com ele. Penso, ao contrário, que foi por não ter havido suficientes mudanças semelhantes que a ruína do Estado se acelerou. Assim como o regime das pessoas saudáveis não convém aos enfermos, não se deve querer governar um povo corrupto pelas mesmas leis que convêm a um povo bom. Nada prova melhor essa máxima do que a duração da República de Veneza, cujo simulacro ainda existe unicamente porque suas leis convêm apenas a homens maus.

Foram distribuídas então tabuinhas aos cidadãos, por meio das quais cada um podia votar sem que soubessem qual era a sua opinião. Estabeleceram-se, assim, novas formalidades para o recolhimento das tabuinhas, a contagem dos votos, a comparação dos números, etc. O que não impediu que a fidelidade dos oficiais encarregados dessas funções* fosse com frequência posta em suspeição. Enfim, para impedir as manobras e o tráfico dos sufrágios, fizeram-se éditos cuja grande quantidade demonstra a inutilidade.

---

* *Custodes, Diribitores, Rogatores suffragiorum.*(N.A.)

Nos últimos tempos, foi preciso muitas vezes recorrer a expedientes extraordinários para suprir a insuficiência das leis. Ora supunham-se prodígios, mas esse meio, que podia iludir o povo, não iludia os que o governavam; ora convocava-se bruscamente uma assembleia antes que os candidatos tivessem tempo de fazer suas manobras; ora consumia-se toda uma sessão a falar quando se percebia o povo prestes a tomar um mau partido. Mas, enfim, a ambição frustrou tudo; e o inacreditável é que, em meio a tantos abusos, esse povo imenso, respeitando seus antigos regulamentos, não deixava de eleger magistrados, de aprovar leis, de julgar as causas, de resolver as questões particulares e públicas quase com tanta facilidade quanto o teria feito o próprio Senado.

Capítulo V
Do tribunato

Quando não se pode estabelecer uma exata proporção entre as partes constitutivas do Estado, ou quando causas indestrutíveis alteram constantemente suas relações, institui-se então uma magistratura particular que não forma corpo com as outras, que recoloca cada termo em sua relação e que estabelece uma ligação ou termo médio seja entre o Príncipe e o Povo, seja entre o Príncipe e o Soberano, seja dos dois lados ao mesmo tempo, se necessário.

Esse corpo, que chamarei de *tribunato*, é o conservador das leis e do poder legislativo. Ele serve às vezes para proteger o Soberano contra o Governo, como faziam em Roma os tribunos do povo, às vezes para sustentar o Governo contra o Povo, como faz agora em Veneza o Conselho dos Dez, às vezes ainda para manter o equilíbrio de um lado e de outro, como faziam os éforos em Esparta.

O tribunato não é de modo algum uma parte constitutiva da Cidade e não deve ter nenhuma porção do poder legislativo nem do executivo, mas é nisso mesmo que reside seu maior poder, pois, nada podendo fazer, ele pode tudo impedir. Ele é mais sagrado e mais reverenciado como defensor das leis do que o Príncipe que as executa e o Soberano que as cria. É o que se viu claramente em Roma quando os orgulhosos patrícios, que sempre desprezaram o povo inteiro, foram forçados a curvar-se diante de um simples oficial do povo, que não tinha nem auspícios nem jurisdição.

O tribunato sabiamente temperado é o mais firme apoio de uma boa constituição; por pequena que seja a força que possui a mais, ele derruba tudo. Quanto à fraqueza, não faz parte de sua natureza; desde que ele seja alguma coisa, nunca o é menos do que deve ser.

Ele degenera em tirania quando usurpa o poder executivo do qual é apenas o moderador e quando quer promulgar leis que deve apenas proteger. O enorme poder dos éforos, sem perigo enquanto Esparta conservou seus costumes, acelerou a corrupção, uma vez começada. O sangue de Ágis, degolado por esses tiranos, foi vingado por seu sucessor: o crime e o castigo dos éforos apressaram igualmente a destruição da República e, depois de Cleômenes, Esparta não foi mais nada. Roma também pereceu pelo mesmo caminho: o poder excessivo dos tribunos, gradativamente usurpado, serviu enfim, com o auxílio das leis feitas para a liberdade, de salvaguarda aos imperadores que a destruíram. Quanto ao Conselho dos Dez em Veneza, este é um tribunal de sangue, horrível tanto para os patrícios quanto para o povo; longe de proteger decididamente as leis, não serve mais, depois de seu aviltamento, senão para lançar nas trevas golpes que ninguém ousa perceber.

O tribunato, como o governo, enfraquece pela multiplicação de seus membros. Quando os tribunos do povo romano, inicialmente em número de dois, depois de cinco, quiseram dobrar esse número, o Senado permitiu que o fizessem, seguro de conter uns pelos outros, o que não deixou de acontecer.

O melhor meio de prevenir as usurpações de tão temível corpo, meio no qual nenhum governo pensou até agora, seria não fazer esse corpo permanente, mas determinar intervalos durante os quais ficaria suprimido. Esses intervalos, que não devem ser bastante grandes para não dar aos abusos o tempo de se firmarem, podem ser fixados pela lei, de modo que seja fácil abreviá-los, se necessário, por comissões extraordinárias.

Esse meio parece-me sem inconveniente, porque, como eu disse, não fazendo o tribunato parte da constituição, pode ser afastado sem que ela sofra com isso, e parece-me eficaz, porque um magistrado que retoma essa função não parte do poder que tinha seu predecessor, mas daquele que lhe confere a lei.

Capítulo VI
Da ditadura

A inflexibilidade das leis, que as impede de curvarem-se aos acontecimentos, pode em alguns casos torná-las perniciosas e causar, por meio delas, a destruição do Estado em sua crise. A ordem e a lentidão das formalidades requerem um espaço de tempo que as circunstâncias às vezes recusam. Podem apresentar-se inúmeros casos que o Legislador não previu, e é uma previdência bastante necessária sentir que nem tudo se pode prever.

Convém, portanto, não querer consolidar as instituições políticas até tirar-se o poder de suspender seu efeito. A própria Esparta deixou dormir suas leis.

Contudo, somente os maiores perigos podem compararse àquele de alterar a ordem pública, e nunca se deve deter o poder sagrado das leis a não ser quando se trata da salvação da pátria. Nesses casos raros e manifestos, providencia-se a segurança pública por um ato particular que confia a responsabilidade ao mais digno. Essa comissão pode efetuar-se de duas maneiras, conforme a espécie de perigo.

Se, para remediá-lo, basta aumentar a atividade do governo, concentra-se este em um ou dois de seus membros. Assim, não é a autoridade das leis que se altera, mas somente a forma de sua administração. Se o perigo for tal que o aparelho das leis seja um obstáculo à sua garantia, nomeia-se então um chefe supremo que faça calar todas as leis e suspenda por um momento a autoridade soberana; nesse caso, a vontade geral não é duvidosa, e evidentemente a primeira intenção do povo é que o Estado não pereça. Dessa maneira, a suspensão da autoridade legislativa de modo algum a abole; o magistrado que a faz calar não pode fazê-la falar, ele a domina sem poder representá-la; pode fazer tudo, exceto leis.

O primeiro meio era empregado pelo Senado romano quando encarregava os cônsules, por uma fórmula consagrada, de providenciar a salvação da República; o segundo ocorria quando um dos dois cônsules nomeava um Ditador*, costume do qual Alba dera o exemplo a Roma.

Nos começos da República, recorreu-se com muita frequência à Ditadura, porque o Estado ainda não tinha uma base bastante fixa para poder sustentar-se pela força de sua constituição. Como os costumes tornavam então supérfluas muitas precauções que teriam sido necessárias em outro tempo, não se temia nem que um ditador abusasse de sua autoridade, nem que tentasse conservá-la para além do prazo. Parecia, ao contrário, que um poder muito grande pesava sobre quem o assumia e do qual tinha pressa de desfazer-se, como se fosse um encargo muito penoso e perigoso tomar o lugar das leis.

Assim, não é o perigo do abuso, mas sim o do aviltamento, que faz censurar o uso imoderado dessa suprema magistratura nos primeiros tempos. Pois, quando a prodigalizavam em eleições, em homenagens, em ações de pura formalidade, havia o risco de ela tornar-se menos

---

* Essa nomeação era feita à noite e em segredo, como se tivessem vergonha de colocar um homem acima das leis. (N.A.)

temível quando necessário e de todos se acostumarem a ver como um título vão o que se empregava apenas em vãs cerimônias.

Por volta do fim da República, os romanos, mais circunspectos, pouparam a Ditadura com tão pouca razão quanto outrora a haviam prodigalizado. Era fácil perceber que seu temor não tinha fundamento, que a fraqueza da capital era uma segurança contra os magistrados que ela tinha em seu seio, que um ditador podia em alguns casos defender a liberdade pública sem nunca poder atentar contra ela e que os grilhões de Roma não seriam forjados em Roma, mas em seus exércitos: a pouca resistência feita por Mário a Sila, e por Pompeu a César, mostrou bem o que se podia esperar da autoridade de dentro contra a força de fora.

Esse erro os fez cometer grandes faltas. Por exemplo, a de não ter nomeado um ditador no caso de Catilina; pois, como se tratava apenas do interior da cidade e, no máximo, de alguma província da Itália, um ditador, com a autoridade sem limites que lhe davam as leis, teria facilmente dissipado a conjuração, sufocada apenas por um concurso de circunstâncias felizes que a prudência humana nunca devia esperar.

Em vez disso, o Senado contentou-se em entregar todo o seu poder aos cônsules; daí sucedeu que Cícero, para agir eficazmente, foi obrigado a ultrapassar esse poder em um ponto capital; se os primeiros transportes de alegria fizeram aprovar sua conduta, foi com justiça que posteriormente lhe pediram contas do sangue de cidadãos derramado contra as leis – censura que não teria sido feita a um ditador. No entanto, a eloquência do cônsul arrastou tudo; e ele próprio, embora romano, amando mais sua glória do que sua pátria, não buscava tanto o meio mais legítimo e seguro de salvar o Estado quanto o de ter toda a honra desse caso*. Assim,

---

* O que ele não conseguiria ao propor um ditador, não ousando nomear-se ele próprio e não podendo ter certeza de que seu colega (de consulado) o nomearia. (N.A.)

ele foi honrado justamente como o libertador de Roma e justamente punido como infrator das leis. Por brilhante que tenha sido sua reabilitação, é certo que foi um perdão.

De resto, não importa como essa importante comissão é conferida, cumpre fixar-lhe a duração por um prazo muito curto que nunca possa ser prolongado; nas crises que a fazem estabelecer, o Estado é logo destruído ou salvo e, passada a necessidade premente, a Ditadura torna-se tirânica e vã. Em Roma, a maioria dos ditadores, que só o eram por seis meses, abdicou antes desse prazo. Se o prazo fosse mais longo, eles talvez tivessem sido tentados a prolongá-lo ainda mais, como fizeram os decênviros, ampliando-o para um ano. O ditador tinha apenas o tempo de responder à necessidade que o fizera ser eleito, não tinha o tempo de pensar em outros projetos.

Capítulo VII
Da censura

Assim como a declaração da vontade geral se faz pela lei, a declaração do julgamento público se faz pela censura; a opinião pública é a espécie de lei da qual o censor é o ministro e a qual ele apenas aplica aos casos particulares, a exemplo do Príncipe.

Portanto, longe de o tribunal censório ser o árbitro da opinião pública, ele não é senão seu declarador; e, tão logo se afasta disso, suas decisões são vãs e sem efeito.

É inútil distinguir os costumes de uma nação dos objetos de sua estima, pois tudo isso está ligado ao mesmo princípio e confunde-se necessariamente. Em todos os povos do mundo, não é a natureza mas a opinião que decide da escolha de seus prazeres. Corrijam-se as opiniões dos homens, e seus costumes purificar-se-ão espontaneamente. Sempre se ama o que é belo ou o que assim se considera, porém é nesse julgamento que as pessoas se enganam;

portanto, é esse julgamento que se trata de regular. Quem julga os costumes julga a honra, e quem julga a honra toma sua lei da opinião.

As opiniões de um povo nascem de sua constituição; embora a lei não regule os costumes, é a legislação que os faz nascer; quando a legislação enfraquece, os costumes degeneram, mas então o julgamento dos censores não fará o que a força das leis não tiver feito.

Segue-se daí que a Censura pode ser útil para conservar os costumes, nunca para restabelecê-los. Estabeleçam censores durante o vigor das leis; assim que elas perdem este vigor, tudo está perdido; nada de legítimo ainda terá força quando as leis não mais a tiverem.

A Censura mantém os costumes impedindo as opiniões de se corromperem, conservando sua retidão por sábias aplicações, às vezes mesmo fixando-os quando ainda são incertos. O costume dos segundos* nos duelos, levado ao furor no reino da França, foi abolido por estas simples palavras de um édito do rei: *Quanto aos que têm a covardia de chamar segundos...* Tal julgamento, prevenindo o do público, determinou-o imediatamente. Entretanto, quando os mesmos éditos quiseram pronunciar que era também uma covardia bater-se em duelo – o que é verdade, mas contrário à opinião comum –, o público zombou dessa decisão sobre a qual seu julgamento já estava feito.

Eu disse alhures** que, não estando a opinião pública submetida à coerção, não era preciso nenhum vestígio dela, em um tribunal estabelecido, para representá-la. Não se pode senão admirar com que arte esse recurso, inteiramente perdido entre os modernos, foi empregado entre os romanos e mais ainda entre os lacedemônios.

Tendo um homem de maus costumes emitido uma boa opinião no conselho de Esparta, os éforos, sem levá-lo

---

* Assim eram chamadas as testemunhas que também se batiam nos duelos. (N.T.)

** Apenas indico neste capítulo o que tratei mais extensamente na Carta ao sr. d'Alembert. (N.A.)

em conta, fizeram propor a mesma opinião por um cidadão virtuoso. Que honra para um, que vergonha para o outro, sem ter havido nem louvor nem reprovação a nenhum dos dois! Alguns bêbados de Samos sujaram o tribunal dos éforos: no dia seguinte, pelo édito público, foi permitido aos sâmios serem vilões. Um verdadeiro castigo teria sido menos severo do que tal impunidade. Quando Esparta se pronuncia sobre o que é ou não é honesto, a Grécia não recorre de seus julgamentos.

Capítulo VIII
Da religião civil

De início, os homens não tiveram outros reis senão os deuses, nem outro governo senão o teocrático. Raciocinavam como o fez Calígula*, e era um raciocínio normal. Foi necessária uma longa alteração dos sentimentos e das ideias para que eles pudessem decidir-se a tomar um semelhante por senhor e persuadir-se de que seriam bem-sucedidos.

Do simples fato de colocar-se Deus à frente de cada sociedade política resultou que houve tantos deuses quantos povos. Dois povos estranhos um ao outro, e quase sempre inimigos, não podiam reconhecer um mesmo senhor, tal como dois exércitos em luta não podiam obedecer ao mesmo chefe. Assim, das divisões nacionais resultou o politeísmo, e daí a intolerância teológica e civil que naturalmente é a mesma, como será dito adiante.

A fantasia dos gregos que reconheciam seus deuses nos povos bárbaros veio daquela, que também tinham, de se considerarem como os soberanos naturais desses povos. Contudo, é uma erudição bastante ridícula, em nossos dias, a que versa sobre a identidade dos deuses das diversas nações; como se Moloch, Saturno e Cronos pudessem ser

---

* Que se dizia de natureza superior a seus súditos. (N.T.)

o mesmo deus; como se o Baal dos fenícios, o Zeus dos gregos e o Júpiter dos latinos pudessem ser o mesmo; como se pudesse existir alguma coisa comum a seres quiméricos que possuem nomes diferentes!

Se me perguntarem por que no paganismo, em que cada Estado tinha seu culto e seus deuses, não havia guerras de religião, responderei que é exatamente porque cada Estado, tendo seu culto próprio assim como seu governo, não distinguia seus deuses de suas leis. A guerra política era também teológica: as províncias dos deuses eram, por assim dizer, fixadas pelos limites das nações. O deus de um povo não tinha direito algum sobre os outros povos. Os deuses dos pagãos não eram deuses ciumentos; eles partilhavam entre si o império do mundo. Mesmo Moisés e o povo hebreu admitiam às vezes essa ideia ao falarem do Deus de Israel. É verdade que viam como nulos os deuses dos cananeus, povos proscritos, votados à destruição, cujo lugar deviam ocupar. Mas vejam como eles falavam das divindades dos povos vizinhos que lhes era proibido atacar: *A posse do que pertence a Chamos, vosso deus*, dizia Jefté aos amonitas, *não vos é legitimamente devida? Possuímos, do mesmo modo, as terras que nosso Deus vencedor adquiriu**. Existe aí, parece-me, uma paridade claramente reconhecida entre os direitos de Chamos e os do Deus de Israel.

No entanto, quando os judeus, submetidos aos reis da Babilônia e posteriormente aos da Síria, quiseram obstinar-se em não reconhecer nenhum outro deus senão o deles, essa recusa, vista como uma rebelião contra o vencedor, atraiu contra eles as perseguições que lemos em sua his-

---

* *Nonne ea quae possidet Chamos deus tuus tibi juri debentur?* Tal é o texto da Vulgata. O padre de Carrières traduziu por: *Não acreditais ter direito a possuir o que pertence a Chamos, vosso deus?* Ignoro a força do texto hebraico, mas percebo que, na Vulgata, Jefté reconhece positivamente o direito do deus Chamos e que o tradutor francês enfraquece esse reconhecimento por um *segundo vós* que não aparece em latim. (N.A.)

tória e das quais não se conhece outro exemplo antes do cristianismo*.

Portanto, estando cada religião unicamente ligada às leis do Estado que a prescrevia, não havia outro modo de converter um povo senão subjugando-o, nem outros missionários senão os conquistadores; como a obrigação de mudar de culto era a lei dos vencidos, cumpria antes começar por vencer. Longe de os homens combaterem pelos deuses, eram os deuses, como em Homero, que combatiam pelos homens. Cada um pedia ao seu a vitória e a pagava com novos altares. Os romanos, antes de tomarem um lugar, intimavam os deuses a abandoná-lo; e, quando deixavam aos tarentinos seus deuses irritados, é que consideravam então esses deuses como submetidos aos deles e forçados a homenageá-los. Eles deixavam os deuses aos vencidos, assim como lhes deixavam as leis. Geralmente, uma coroa ao Júpiter do Capitólio era o único tributo que impunham.

Tendo os romanos estendido com o império seu culto e seus deuses, e eles próprios adotando com frequência os dos vencidos ao concederem a uns e a outros o direito de cidadania, os povos desse vasto império passaram imperceptivelmente a ter uma grande quantidade de deuses e de cultos, mais ou menos os mesmos em toda parte, e foi assim que o paganismo tornou-se enfim, no mundo conhecido, uma única e mesma religião.

Foi nessas circunstâncias que Jesus veio estabelecer na terra um reino espiritual; o que, ao separar o sistema teológico do sistema político, fez o Estado deixar de ser uno e causou as divisões intestinas que nunca deixaram de agitar os povos cristãos. Ora, como essa ideia nova de um reino do outro mundo nunca pôde entrar na cabeça dos pagãos,

---

* É da mais recente evidência que a guerra dos fócios, chamada guerra sagrada, não foi em absoluto uma guerra de religião. Tinha por objeto punir os sacrílegos, e não submeter os descrentes. (N.A.)

eles sempre viram os cristãos como verdadeiros rebeldes que, sob uma hipócrita submissão, buscavam apenas o momento de se tornarem independentes e senhores, usurpando habilidosamente a autoridade que fingiam respeitar em sua fraqueza. Tal foi a causa das perseguições.

O que os pagãos temiam aconteceu; então, tudo mudou de aspecto, os humildes cristãos mudaram de linguagem e logo se viu esse pretenso reino do outro mundo transformar-se, sob um chefe visível, no mais violento despotismo deste mundo.

No entanto, como sempre houve um Príncipe e leis civis, resultou desse duplo poder um perpétuo conflito de jurisdição que tornou toda boa *politia* impossível nos Estados cristãos, e nunca se conseguiu saber a quem, se ao senhor ou ao sacerdote, havia a obrigação de obedecer.

Vários povos, porém, mesmo na Europa ou em sua vizinhança, quiseram conservar ou restabelecer o antigo sistema, mas sem sucesso; o espírito do cristianismo dominou tudo. O culto sagrado sempre permaneceu ou voltou a ser independente do Soberano e sem ligação necessária com o corpo do Estado. Maomé teve ideias muito saudáveis, uniu bem seu sistema político; enquanto a forma de seu governo subsistiu sob os califas seus sucessores, esse governo foi exatamente uno e nisso foi bom. Mas os árabes, ao se tornarem florescentes, letrados, polidos, indolentes e covardes, foram subjugados por bárbaros; então, a divisão entre os dois poderes recomeçou. Embora seja menos aparente entre os maometanos do que entre os cristãos, mesmo assim ela existe, sobretudo na seita de Ali, e há Estados, como a Pérsia, nos quais não cessa de se fazer sentir.

Entre nós, os reis da Inglaterra proclamaram-se chefes da Igreja e o mesmo fizeram os czares; por esse título, porém, eles se tornaram menos os senhores da Igreja do que seus ministros; adquiriram menos o direito de mudá-la que o poder de mantê-la. Não são legisladores, são apenas

Príncipes. Onde quer que o clero constitua um corpo*, ele é senhor e legislador em sua área. Portanto, há dois poderes, dois soberanos, na Inglaterra e na Rússia, assim como em outros lugares.

De todos os autores cristãos, o filósofo Hobbes foi o único que percebeu claramente o mal e o remédio, que ousou propor reunir as duas cabeças da águia e reconduzir tudo à unidade política, sem a qual nenhum Estado ou Governo jamais será bem constituído. Contudo, ele precisou ver que o espírito dominador do cristianismo era incompatível com seu sistema e que o interesse do Sacerdote seria sempre mais forte que o do Estado. Não é tanto o que há de horrível e falso em sua política, quanto o que há de justo e verdadeiro, que a tornou odiosa**.

Creio que, examinando sob esse ponto de vista os fatos históricos, refutar-se-iam facilmente as opiniões opostas de Baile e de Warburton, um dizendo que nenhuma religião é útil ao corpo político e o outro sustentando, ao contrário, que o cristianismo é seu mais firme apoio. Provar-se-ia ao primeiro que um Estado nunca foi fundado sem que a religião lhe servisse de base e, ao segundo, que a lei cristã é no fundo mais prejudicial do que útil à forte constituição do Estado. Para fazer-me entender melhor, basta apenas dar um pouco mais de precisão às ideias muito vagas de religião, relativas ao meu assunto.

---

* Convém notar que não são tanto as assembleias formais, como as da França, que ligam o clero a um corpo, e sim a comunhão das Igrejas. A comunhão e a excomunhão são o pacto social do clero, pacto com o qual ele será sempre o senhor dos povos e dos reis. Todos os sacerdotes que comungam juntos são concidadãos, mesmo estando nas duas extremidades do mundo. Essa invenção é uma obra-prima em política. Não há nada comparável entre os sacerdotes pagãos; assim, estes nunca formaram um corpo de clero. (N.A.)

** Ver, entre outras, em uma carta de Grotius a seu irmão, de 11 de abril de 1643, o que esse homem erudito aprova e o que reprova no livro *De Cive* (de Hobbes). É verdade que, dado à indulgência, ele parece perdoar ao autor o bem em favor do mal, mas nem todo mundo é tão clemente. (N.A.)

Considerada em relação à sociedade, que é ou geral ou particular, a religião pode também dividir-se em duas espécies, a saber: a religião do homem e a do cidadão. A primeira, sem templos, sem altares, sem ritos, limitada ao culto puramente interior do Deus supremo e aos deveres eternos da moral, é a pura e simples religião do Evangelho, o verdadeiro teísmo, e o que podemos chamar de direito divino natural. A outra, inscrita em um só país, lhe dá seus deuses, seus padroeiros próprios e tutelares: tem seus dogmas, seus ritos, seu culto exterior prescrito por leis; excetuada a nação que a segue, tudo para ela é infiel, estrangeiro, bárbaro; ela só estende os direitos e os deveres do homem até onde houver seus altares. Tais foram todas as religiões dos primeiros povos, às quais podemos dar o nome de direito divino civil ou positivo.

Há uma terceira espécie de religião, mais bizarra, que, dando aos homens duas legislações, dois chefes, duas pátrias, os submete a deveres contraditórios e os impede de poderem ser ao mesmo tempo devotos e cidadãos. Tal é a religião dos lamas, tal é a dos japoneses, tal é o cristianismo romano. Podemos chamá-la de religião do Sacerdote. Dela resulta uma espécie de direito misto e insociável que não tem nome algum.

Se considerarmos politicamente essas três espécies de religião, todas elas têm seus defeitos. A terceira é tão evidentemente ruim que seria uma perda de tempo querer demonstrá-lo. Tudo o que rompe a unidade social é sem valor. Todas as instituições que põem o homem em contradição consigo mesmo nada valem.

A segunda é boa por reunir o culto divino e o amor às leis e, ao fazer da pátria o objeto de adoração dos cidadãos, ela lhes ensina que servir o Estado é servir o deus tutelar. É uma espécie de teocracia, na qual não se deve ter outro pontífice a não ser o Príncipe, nem outros sacerdotes a não ser os magistrados. Então, morrer por seu país é ir ao martírio, violar as leis é ser ímpio e submeter um culpado à execração pública é entregá-lo à cólera dos deuses: *sacer estod*.

No entanto, ela é ruim porque, estando fundada no erro e na mentira, engana os homens, torna-os crédulos, supersticiosos, e afoga o verdadeiro culto da divindade em um vão cerimonial. É ruim também quando, tornando-se exclusiva e tirânica, faz um povo sanguinário e intolerante, de sorte que ele apenas respira morticínio e massacre, acreditando fazer uma ação santa ao matar todo aquele que não admite seus deuses. Isso coloca esse povo em um estado natural de guerra com todos os outros bastante prejudicial à sua própria segurança.

Resta, pois, a religião do homem ou o cristianismo, não o de hoje, mas o do Evangelho, que é completamente diferente. Por essa religião santa, sublime, verdadeira, os homens, filhos do mesmo Deus, se reconhecem todos como irmãos, e a sociedade que os une não se dissolve nem mesmo na morte.

Essa religião, porém, não tendo nenhuma relação particular com o corpo político, deixa as leis unicamente com a força que tiram de si mesmas sem acrescentar-lhes outra, e assim um dos grandes vínculos da sociedade particular fica sem efeito. Mais ainda: longe de ligar os corações dos cidadãos ao Estado, ela os separa, como de todas as coisas da terra; não conheço nada mais contrário ao espírito social.

Dizem-nos que um povo de verdadeiros cristãos formaria a mais perfeita sociedade que se possa imaginar. Nessa suposição vejo apenas uma grande dificuldade: é que uma sociedade de verdadeiros cristãos não seria mais uma sociedade de homens.

Digo mesmo que essa suposta sociedade não seria, em toda a sua perfeição, nem a mais forte nem a mais durável. À força de ser perfeita, ela careceria de ligação; seu vício destruidor estaria em sua perfeição mesma.

Cada um cumpriria seu dever; o povo se submeteria às leis; os chefes seriam justos e moderados; os magistrados, íntegros, incorruptíveis; os soldados desprezariam a morte; não haveria vaidade nem luxo: tudo isso é muito bom, porém vejamos mais adiante.

O cristianismo é uma religião inteiramente espiritual, ocupada apenas com as coisas do Céu: a pátria do cristão não é deste mundo. Ele faz seu dever, é verdadeiro, mas o faz com uma profunda indiferença quanto ao bom ou mau sucesso de seus cuidados. Contanto que nada tenha a se reprovar, pouco lhe importa que tudo vá bem ou mal neste mundo. Se o Estado é florescente, ele mal ousa gozar da felicidade pública, teme orgulhar-se da glória de seu país; se o Estado se arruína, ele bendiz a mão de Deus que pesa sobre o seu povo.

Para que a sociedade fosse pacífica e a harmonia se mantivesse, seria preciso que todos os cidadãos sem exceção fossem igualmente bons cristãos. Mas, infelizmente, se houver um único ambicioso, um único hipócrita, um Catilina, por exemplo, ou um Cromwell, este certamente prevalecerá sobre seus piedosos companheiros. A caridade cristã não permite facilmente pensar mal do próximo. Tão logo este descobrir, por alguma astúcia, a arte de enganar e de apoderar-se de uma parte da autoridade pública, ele será um homem constituído em dignidade, e Deus quer que o respeitem; logo terá um poder, e Deus quer que lhe obedeçam. O depositário desse poder comete abusos? É a vara com que Deus pune seus filhos. Toma-se consciência da necessidade de expulsar o usurpador, mas seria preciso perturbar o repouso público, usar de violência, derramar sangue, e isso se concilia mal com a doçura do cristão. E, afinal, que importa ser livre ou servo neste vale de misérias? O essencial é chegar ao paraíso, e a resignação é somente um meio a mais para isso.

Sobrevém uma guerra estrangeira? Os cidadãos marcham sem dificuldade ao combate, nenhum deles pensa em fugir; cumprem seu dever, mas sem paixão pela vitória; sabem antes morrer do que vencer. Vencedores ou vencidos, que importa? Não sabe a Providência melhor do que eles o que lhes convém? Imaginem o partido que um inimigo orgulhoso, impetuoso, apaixonado, pode tirar de tal estoicismo! Ponham essa república cristã diante daqueles povos generosos que um ardente amor à glória e à pátria devorava, suponham-na diante de Esparta ou de Roma; os piedosos cristãos serão vencidos, esmagados, destruídos antes de terem tempo de se reconhecer, ou só serão salvos graças ao desprezo que o inimigo terá por eles. Em minha opinião, era um belo juramento o dos soldados de Fábio: eles não juraram vencer ou morrer, juraram voltar vencedores e assim o fizeram. Os cristãos nunca teriam feito tal juramento, que lhes pareceria uma provocação a Deus.

Contudo, eu me engano ao dizer uma república cristã: essas duas palavras se excluem mutuamente. O cristianismo prega apenas servidão e dependência. Seu espírito é por demais favorável à tirania para que esta não se aproveite sempre dele. Os verdadeiros cristãos são feitos para serem escravos; eles sabem e não se inquietam muito com isso; esta curta vida tem muito pouco valor a seus olhos.

As tropas cristãs são excelentes, dizem-nos. Discordo. Mostrem-me se há alguma assim! Aliás, não conheço tropas cristãs. Citar-me-ão as Cruzadas. Sem discutir sobre o valor dos cruzados, observarei que, longe de serem cristãos, eram soldados do Sacerdote, eram cidadãos da Igreja; combatiam por seu país espiritual, que passara a ser temporal não se sabe como. Pensando bem, isso pertence ao paganismo; como o Evangelho não estabelece nenhuma religião nacional, toda guerra sagrada é impossível entre os cristãos.

Sob os imperadores pagãos, os soldados cristãos eram bravos. Todos os autores cristãos afirmam isso e acredito: era uma emulação de honra contra as tropas pagãs. Assim que os imperadores se tornaram cristãos, essa emulação não subsistiu mais e, quando a cruz expulsou a águia, todo o valor romano desapareceu.

Mas, deixando de lado as considerações políticas, voltemos ao direito e fixemos os princípios sobre esse ponto importante. O direito que o pacto social dá ao Soberano sobre os súditos não ultrapassa, como eu disse, os limites da utilidade pública*. Os súditos, portanto, só precisam prestar contas de suas opiniões ao Soberano na medida em que essas opiniões importam à comunidade. Ora, importa claramente ao Estado que cada cidadão tenha uma religião que o faça amar seus deveres; porém, os dogmas dessa religião não interessam nem ao Estado nem a seus membros, senão na medida em que esses dogmas se relacionam à moral e aos deveres que aquele que a professa é obrigado a cumprir para com outrem. Quanto ao mais, cada um pode ter as opiniões que quiser, sem que caiba ao Soberano ter conhecimento delas. Como não há competência no outro mundo, seja qual for a sorte dos súditos na vida futura, isso não é assunto dele, contanto que sejam bons cidadãos nesta vida.

Portanto, há uma profissão de fé puramente civil cujos artigos compete ao Soberano fixar, não precisamente como dogmas de religião, mas como sentimentos de sociabilidade, sem os quais é impossível ser bom cidadão ou súdito fiel**. Sem poder obrigar ninguém a crer em tais artigos, ele pode banir do Estado todo aquele que não crê neles; pode bani-lo, não como ímpio, mas como insociável, como incapaz de amar sinceramente as leis, a justiça, e de imolar a vida, se necessário, a seu dever. Se alguém, após ter reconhecido publicamente esses mesmos dogmas, comporta-se

---

* *Na República*, diz o marquês d'Argenson, *cada um é perfeitamente livre naquilo que não prejudica os outros*. Eis aí o limite invariável; não se pode estabelecê-lo com mais exatidão. Não pude recusar-me o prazer de citar algumas vezes esse manuscrito, embora não conhecido do público, para honrar a memória de um homem ilustre e respeitável que conservou até no Ministério o coração de um verdadeiro cidadão, bem como ideias corretas e saudáveis sobre o governo de seu país. (N.A.)

** César, ao defender Catilina, procurou estabelecer o dogma da mortalidade da alma. Para refutá-lo, Catão e Cícero não se puseram a filosofar: contentaram-se em mostrar que César falava como mau cidadão e propunha uma doutrina perniciosa ao Estado. De fato, é sobre isso que devia julgar o Senado de Roma, e não sobre uma questão de teologia. (N.A.)

como se não acreditasse neles, que seja punido de morte: ele cometeu o maior dos crimes, mentiu diante das leis.

Os dogmas da religião civil devem ser simples, em pequeno número, enunciados com precisão, sem explicações nem comentários. A existência da Divindade poderosa, inteligente, benfeitora, previdente e provedora, a vida por vir, a felicidade dos justos, o castigo dos maus, a santidade do Contrato social e das Leis: eis os dogmas positivos. Quanto aos dogmas negativos, limito-os a um só: é a intolerância, pois ela pertence aos cultos que excluímos.

Em minha opinião, enganam-se os que distinguem a intolerância civil e a intolerância religiosa. Essas duas intolerâncias são inseparáveis. É impossível viver em paz com pessoas que acreditamos condenadas; amá-las seria odiar a Deus, que as pune; é preciso absolutamente que sejam convertidas ou martirizadas. Em toda parte onde a intolerância teológica é aceita, é impossível que ela não tenha algum efeito civil*; e, tão logo o tiver, o Soberano não é mais Soberano, mesmo no mundo temporal: os sacerdotes

---

* O casamento, por exemplo, sendo um contrato social, tem efeitos civis sem os quais é mesmo impossível a sociedade subsistir. Suponhamos, então, que um clero passasse a atribuir a si só o direito de efetuar esse ato – direito que ele deve necessariamente usurpar em toda religião intolerante. Não fica claro que, fazendo valer nesse caso a autoridade da Igreja, ele torna vã a do Príncipe, que não terá mais súditos senão os que o clero quiser lhe dar? Senhor de casar ou não casar as pessoas conforme elas sigam ou não essa ou aquela doutrina, conforme admitam ou rejeitem esse ou aquele formulário, conforme lhe sejam mais ou menos devotados, conduzindo-se prudentemente e mostrando-se firmes, não fica claro que somente o clero poderá dispor das heranças, dos cargos, dos cidadãos, do próprio Estado, que não poderia subsistir sendo composto apenas de bastardos? No entanto, dirão, ele será convocado aos tribunais por abuso, citado, julgado, detido pelo poder temporal. Que ilusão! O clero, por menos que tenha, não digo coragem, mas bom senso, deixará que o façam e seguirá seu caminho: deixará tranquilamente que o convoquem, citem, julguem, prendam, e acabará por ser o senhor. Parece-me que não é um grande sacrifício abandonar uma parte quando se tem certeza de apoderar-se do todo. (N.A.)

são os verdadeiros senhores, sendo os reis apenas seus funcionários.

Agora que não há mais nem pode mais haver religião nacional exclusiva, devem-se tolerar todas aquelas que toleram as outras, contanto que seus dogmas nada tenham de contrário aos deveres do cidadão. Mas todo aquele que ousar dizer "Fora da Igreja não há salvação", deve ser expulso do Estado, a menos que o Estado seja a Igreja e o Príncipe seja o Pontífice. Tal dogma só é bom num governo teocrático. Em qualquer outro é pernicioso. A razão pela qual se diz que Henrique IV* abraçou a religião romana deveria fazer todo homem honesto abandoná-la, sobretudo todo Príncipe que soubesse raciocinar.

Capítulo IX
Conclusão

Após ter estabelecido os verdadeiros princípios do direito político e procurado fundar o Estado sobre essa base, restaria ampará-lo por suas relações externas, o que compreenderia o direito das pessoas, o comércio, o direito da guerra e as conquistas, o direito público, as ligas, as negociações, os tratados, etc. Mas tudo isso forma um novo objeto vasto demais para minha curta visão; eu deveria tê-la fixado sempre mais perto de mim.

FIM

---

* Henrique IV teve de abjurar o protestantismo para tornar-se o rei da França (de 1589 a 1610). (N.T.)

Coleção **L&PM** POCKET (Lançamentos mais recentes)

500. **Esboço para uma teoria das emoções** – Sartre
501. **Renda básica de cidadania** – Eduardo Suplicy
502. (1). **Pílulas para viver melhor** – Dr. Lucchese
503. (2). **Pílulas para prolongar a juventude** – Dr. Lucchese
504. (3). **Desembarcando o diabetes** – Dr. Lucchese
505. (4). **Desembarcando o sedentarismo** – Dr. Fernando Lucchese e Cláudio Castro
506. (5). **Desembarcando a hipertensão** – Dr. Lucchese
507. (6). **Desembarcando o colesterol** – Dr. Fernando Lucchese e Fernanda Lucchese
508. **Estudos de mulher** – Balzac
509. **O terceiro tira** – Flann O'Brien
510. **100 receitas de aves e ovos** – J. A. P. Machado
511. **Garfield em toneladas de diversão (5)** – Jim Davis
512. **Trem-bala** – Martha Medeiros
513. **Os cães ladram** – Truman Capote
514. **O Kama Sutra de Vatsyayana**
515. **O crime do Padre Amaro** – Eça de Queiroz
516. **Odes de Ricardo Reis** – Fernando Pessoa
517. **O inverno da nossa desesperança** – Steinbeck
518. **Piratas do Tietê (1)** – Laerte
519. **Rê Bordosa: do começo ao fim** – Angeli
520. **O Harlem é escuro** – Chester Himes
522. **Eugénie Grandet** – Balzac
523. **O último magnata** – F. Scott Fitzgerald
524. **Carol** – Patricia Highsmith
525. **100 receitas de patisseria** – Sílvio Lancellotti
527. **Tristessa** – Jack Kerouac
528. **O diamante do tamanho do Ritz** – F. Scott Fitzgerald
529. **As melhores histórias de Sherlock Holmes** – Arthur Conan Doyle
531. **Cartas a um jovem poeta** – Rilke
532. **O misterioso sr. Quin** – Agatha Christie
533. **Os analectos** – Confúcio
536. **Ascensão e queda de César Birotteau** – Balzac
537. **Sexta-feira negra** – David Goodis
538. **Ora bolas – O humor de Mario Quintana** – Juarez Fonseca
539. **Longe daqui aqui mesmo** – Antonio Bivar
540. **É fácil matar** – Agatha Christie
541. **O pai Goriot** – Balzac
542. **Brasil, um país do futuro** – Stefan Zweig
543. **O processo** – Kafka
544. **O melhor de Hagar 4** – Dik Browne
545. **Por que não pediram a Evans?** – Agatha Christie
546. **Fanny Hill** – John Cleland
547. **O gato por dentro** – William S. Burroughs
548. **Sobre a brevidade da vida** – Sêneca
549. **Geraldão (1)** – Glauco
550. **Piratas do Tietê (2)** – Laerte
551. **Pagando o pato** – Ciça
552. **Garfield de bom humor (6)** – Jim Davis
553. **Conhece o Mário?** vol.1 – Santiago
554. **Radicci 6** – Iotti
555. **Os subterrâneos** – Jack Kerouac
556. (1). **Balzac** – François Taillandier
557. (2). **Modigliani** – Christian Parisot
558. (3). **Kafka** – Gérard-Georges Lemaire
559. (4). **Júlio César** – Joël Schmidt
560. **Receitas da família** – J. A. Pinheiro Machado
561. **Boas maneiras à mesa** – Celia Ribeiro
562. (9). **Filhos sadios, pais felizes** – R. Pagnoncelli
563. (10). **Fatos & mitos** – Dr. Fernando Lucchese
564. **Ménage à trois** – Paula Taitelbaum
565. **Mulheres!** – David Coimbra
566. **Poemas de Álvaro de Campos** – Fernando Pessoa
567. **Medo e outras histórias** – Stefan Zweig
568. **Snoopy e sua turma (1)** – Schulz
569. **Piadas para sempre (1)** – Visconde da Casa Verde
570. **O alvo móvel** – Ross Macdonald
571. **O melhor do Recruta Zero (2)** – Mort Walker
572. **Um sonho americano** – Norman Mailer
573. **Os broncos também amam** – Angeli
574. **Crônica de um amor louco** – Bukowski
575. (5). **Freud** – René Major e Chantal Talagrand
576. (6). **Picasso** – Gilles Plazy
577. (7). **Gandhi** – Christine Jordis
578. **A tumba** – H. P. Lovecraft
579. **O príncipe e o mendigo** – Mark Twain
580. **Garfield, um charme de gato (7)** – Jim Davis
581. **Ilusões perdidas** – Balzac
582. **Esplendores e misérias das cortesãs** – Balzac
583. **Walter Ego** – Angeli
584. **Striptiras (1)** – Laerte
585. **Fagundes: um puxa-saco de mão cheia** – Laerte
586. **Depois do último trem** – Josué Guimarães
587. **Ricardo III** – Shakespeare
588. **Dona Anja** – Josué Guimarães
589. **24 horas na vida de uma mulher** – Stefan Zweig
591. **Mulher no escuro** – Dashiell Hammett
592. **No que acredito** – Bertrand Russell
593. **Odisseia (1): Telemaquia** – Homero
594. **O cavalo cego** – Josué Guimarães
595. **Henrique V** – Shakespeare
596. **Fabulário geral do delírio cotidiano** – Bukowski
597. **Tiros na noite 1: A mulher do bandido** – Dashiell Hammett
598. **Snoopy em Feliz Dia dos Namorados! (2)** – Schulz
600. **Crime e castigo** – Dostoiévski

601. **Mistério no Caribe** – Agatha Christie
602. **Odisseia (2): Regresso** – Homero
603. **Piadas para sempre (2)** – Visconde da Casa Verde
604. **À sombra do vulcão** – Malcolm Lowry
605. (8).**Kerouac** – Yves Buin
606. **E agora são cinzas** – Angeli
607. **As mil e uma noites** – Paulo Caruso
608. **Um assassino entre nós** – Ruth Rendell
609. **Crack-up** – F. Scott Fitzgerald
610. **Do amor** – Stendhal
611. **Cartas do Yage** – William Burroughs e Allen Ginsberg
612. **Striptiras (2)** – Laerte
613. **Henry & June** – Anaïs Nin
614. **A piscina mortal** – Ross Macdonald
615. **Geraldão (2)** – Glauco
616. **Tempo de delicadeza** – A. R. de Sant'Anna
617. **Tiros na noite 2: Medo de tiro** – Dashiell Hammett
618. **Snoopy em Assim é a vida, Charlie Brown! (3)** – Schulz
619. **1954 – Um tiro no coração** – Hélio Silva
620. **Sobre a inspiração poética (Íon) e ...** – Platão
621. **Garfield e seus amigos (8)** – Jim Davis
622. **Odisseia (3): Ítaca** – Homero
623. **A louca matança** – Chester Himes
624. **Factótum** – Bukowski
625. **Guerra e Paz: volume 1** – Tolstói
626. **Guerra e Paz: volume 2** – Tolstói
627. **Guerra e Paz: volume 3** – Tolstói
628. **Guerra e Paz: volume 4** – Tolstói
629. (9).**Shakespeare** – Claude Mourthé
630. **Bem está o que bem acaba** – Shakespeare
631. **O contrato social** – Rousseau
632. **Geração Beat** – Jack Kerouac
633. **Snoopy: É Natal! (4)** – Charles Schulz
634. **Testemunha da acusação** – Agatha Christie
635. **Um elefante no caos** – Millôr Fernandes
636. **Guia de leitura (100 autores que você precisa ler)** – Organização de Léa Masina
637. **Pistoleiros também mandam flores** – David Coimbra
638. **O prazer das palavras** – vol. 1 – Cláudio Moreno
639. **O prazer das palavras** – vol. 2 – Cláudio Moreno
640. **Novíssimo testamento: com Deus e o diabo, a dupla da criação** – Iotti
641. **Literatura Brasileira: modos de usar** – Luís Augusto Fischer
642. **Dicionário de Porto-Alegrês** – Luís A. Fischer
643. **Clô Dias & Noites** – Sérgio Jockymann
644. **Memorial de Isla Negra** – Pablo Neruda
645. **Um homem extraordinário e outras histórias** – Tchékhov
646. **Ana sem terra** – Alcy Cheuiche
647. **Adultérios** – Woody Allen
651. **Snoopy: Posso fazer uma pergunta, professora? (5)** – Charles Schulz
652. (10).**Luís XVI** – Bernard Vincent
653. **O mercador de Veneza** – Shakespeare
654. **Cancioneiro** – Fernando Pessoa
655. **Non-Stop** – Martha Medeiros
656. **Carpinteiros, levantem bem alto a cumeeira & Seymour, uma apresentação** – J.D.Salinger
657. **Ensaios céticos** – Bertrand Russell
658. **O melhor de Hagar 5** – Dik e Chris Browne
659. **Primeiro amor** – Ivan Turguêniev
660. **A trégua** – Mario Benedetti
661. **Um parque de diversões da cabeça** – Lawrence Ferlinghetti
662. **Aprendendo a viver** – Sêneca
663. **Garfield, um gato em apuros (9)** – Jim Davis
664. **Dilbert (1)** – Scott Adams
666. **A imaginação** – Jean-Paul Sartre
667. **O ladrão e os cães** – Naguib Mahfuz
669. **A volta do parafuso** seguido de **Daisy Miller** – Henry James
670. **Notas do subsolo** – Dostoiévski
671. **Abobrinhas da Brasilônia** – Glauco
672. **Geraldão (3)** – Glauco
673. **Piadas para sempre (3)** – Visconde da Casa Verde
674. **Duas viagens ao Brasil** – Hans Staden
676. **A arte da guerra** – Maquiavel
677. **Além do bem e do mal** – Nietzsche
678. **O coronel Chabert** seguido de **A mulher abandonada** – Balzac
679. **O sorriso de marfim** – Ross Macdonald
680. **100 receitas de pescados** – Sílvio Lancellotti
681. **O juiz e seu carrasco** – Friedrich Dürrenmatt
682. **Noites brancas** – Dostoiévski
683. **Quadras ao gosto popular** – Fernando Pessoa
685. **Kaos** – Millôr Fernandes
686. **A pele de onagro** – Balzac
687. **As ligações perigosas** – Choderlos de Laclos
689. **Os Lusíadas** – Luís Vaz de Camões
690. (11).**Átila** – Éric Deschodt
691. **Um jeito tranquilo de matar** – Chester Himes
692. **A felicidade conjugal** seguido de **O diabo** – Tolstói
693. **Viagem de um naturalista ao redor do mundo** – vol. 1 – Charles Darwin
694. **Viagem de um naturalista ao redor do mundo** – vol. 2 – Charles Darwin
695. **Memórias da casa dos mortos** – Dostoiévski
696. **A Celestina** – Fernando de Rojas
697. **Snoopy: Como você é azarado, Charlie Brown! (6)** – Charles Schulz
698. **Dez (quase) amores** – Claudia Tajes
699. **Poirot sempre espera** – Agatha Christie
701. **Apologia de Sócrates** precedido de **Êutifron** e seguido de **Críton** – Platão
702. **Wood & Stock** – Angeli
703. **Striptiras (3)** – Laerte
704. **Discurso sobre a origem e os fundamentos da desigualdade entre os homens** – Rousseau
705. **Os duelistas** – Joseph Conrad
706. **Dilbert (2)** – Scott Adams
707. **Viver e escrever** (vol. 1) – Edla van Steen
708. **Viver e escrever** (vol. 2) – Edla van Steen

709. Viver e escrever (vol. 3) – Edla van Steen
710. A teia da aranha – Agatha Christie
711. O banquete – Platão
712. Os belos e malditos – F. Scott Fitzgerald
713. Libelo contra a arte moderna – Salvador Dalí
714. Akropolis – Valerio Massimo Manfredi
715. Devoradores de mortos – Michael Crichton
716. Sob o sol da Toscana – Frances Mayes
717. Batom na cueca – Nani
718. Vida dura – Claudia Tajes
719. Carne trêmula – Ruth Rendell
720. Cris, a fera – David Coimbra
721. O anticristo – Nietzsche
722. Como um romance – Daniel Pennac
723. Emboscada no Forte Bragg – Tom Wolfe
724. Assédio sexual – Michael Crichton
725. O espírito do Zen – Alan W. Watts
726. Um bonde chamado desejo – Tennessee Williams
727. Como gostais *seguido de* Conto de inverno – Shakespeare
728. Tratado sobre a tolerância – Voltaire
729. Snoopy: Doces ou travessuras? (7) – Charles Schulz
730. Cardápios do Anonymous Gourmet – J.A. Pinheiro Machado
731. 100 receitas com lata – J.A. Pinheiro Machado
732. Conhece o Mário? vol.2 – Santiago
733. Dilbert (3) – Scott Adams
734. História de um louco amor *seguido de* Passado amor – Horacio Quiroga
735. (11).Sexo: muito prazer – Laura Meyer da Silva
736. (12).Para entender o adolescente – Dr. Ronald Pagnoncelli
737. (13).Desembarcando a tristeza – Dr. Fernando Lucchese
738. Poirot e o mistério da arca espanhola & outras histórias – Agatha Christie
739. A última legião – Valerio Massimo Manfredi
741. Sol nascente – Michael Crichton
742. Duzentos ladrões – Dalton Trevisan
743. Os devaneios do caminhante solitário – Rousseau
744. Garfield, o rei da preguiça (10) – Jim Davis
745. Os magnatas – Charles R. Morris
746. Pulp – Charles Bukowski
747. Enquanto agonizo – William Faulkner
748. Aline: viciada em sexo (3) – Adão Iturrusgarai
749. A dama do cachorrinho – Anton Tchékhov
750. Tito Andrônico – Shakespeare
751. Antologia poética – Anna Akhmátova
752. O melhor de Hagar 6 – Dik e Chris Browne
753. (12).Michelangelo – Nadine Sautel
754. Dilbert (4) – Scott Adams
755. O jardim das cerejeiras *seguido de* Tio Vânia – Tchékhov
756. Geração Beat – Claudio Willer
757. Santos Dumont – Alcy Cheuiche
758. Budismo – Claude B. Levenson
759. Cleópatra – Christian-Georges Schwentzel
760. Revolução Francesa – Frédéric Bluche, Stéphane Rials e Jean Tulard
761. A crise de 1929 – Bernard Gazier
762. Sigmund Freud – Edson Sousa e Paulo Endo
763. Império Romano – Patrick Le Roux
764. Cruzadas – Cécile Morrisson
765. O mistério do Trem Azul – Agatha Christie
768. Senso comum – Thomas Paine
769. O parque dos dinossauros – Michael Crichton
770. Trilogia da paixão – Goethe
773. Snoopy: No mundo da lua! (8) – Charles Schulz
774. Os Quatro Grandes – Agatha Christie
775. Um brinde de cianureto – Agatha Christie
776. Súplicas atendidas – Truman Capote
779. A viúva imortal – Millôr Fernandes
780. Cabala – Roland Goetschel
781. Capitalismo – Claude Jessua
782. Mitologia grega – Pierre Grimal
783. Economia: 100 palavras-chave – Jean-Paul Betbèze
784. Marxismo – Henri Lefebvre
785. Punição para a inocência – Agatha Christie
786. A extravagância do morto – Agatha Christie
787. (13).Cézanne – Bernard Fauconnier
788. A identidade Bourne – Robert Ludlum
789. Da tranquilidade da alma – Sêneca
790. Um artista da fome *seguido de* Na colônia penal e outras histórias – Kafka
791. Histórias de fantasmas – Charles Dickens
796. O Uraguai – Basílio da Gama
797. A mão misteriosa – Agatha Christie
798. Testemunha ocular do crime – Agatha Christie
799. Crepúsculo dos ídolos – Friedrich Nietzsche
802. O grande golpe – Dashiell Hammett
803. Humor barra pesada – Nani
804. Vinho – Jean-François Gautier
805. Egito Antigo – Sophie Desplancques
806. (14).Baudelaire – Jean-Baptiste Baronian
807. Caminho da sabedoria, caminho da paz – Dalai Lama e Felizitas von Schönborn
808. Senhor e servo e outras histórias – Tolstói
809. Os cadernos de Malte Laurids Brigge – Rilke
810. Dilbert (5) – Scott Adams
811. Big Sur – Jack Kerouac
812. Seguindo a correnteza – Agatha Christie
813. O álibi – Sandra Brown
814. Montanha-russa – Martha Medeiros
815. Coisas da vida – Martha Medeiros
816. A cantada infalível *seguido de* A mulher do centroavante – David Coimbra
819. Snoopy: Pausa para a soneca (9) – Charles Schulz
820. De pernas pro ar – Eduardo Galeano
821. Tragédias gregas – Pascal Thiercy
822. Existencialismo – Jacques Colette
823. Nietzsche – Jean Granier
824. Amar ou depender? – Walter Riso
825. Darmapada: A doutrina budista em versos
826. J'Accuse...! – a verdade em marcha – Zola
827. Os crimes ABC – Agatha Christie
828. Um gato entre os pombos – Agatha Christie
831. Dicionário de teatro – Luiz Paulo Vasconcellos

832. **Cartas extraviadas** – Martha Medeiros
833. **A longa viagem de prazer** – J. J. Morosoli
834. **Receitas fáceis** – J. A. Pinheiro Machado
835. (14).**Mais fatos & mitos** – Dr. Fernando Lucchese
836. (15).**Boa viagem!** – Dr. Fernando Lucchese
837. **Aline: Finalmente nua!!!** (4) – Adão Iturrusgarai
838. **Mônica tem uma novidade!** – Mauricio de Sousa
839. **Cebolinha em apuros!** – Mauricio de Sousa
840. **Sócios no crime** – Agatha Christie
841. **Bocas do tempo** – Eduardo Galeano
842. **Orgulho e preconceito** – Jane Austen
843. **Impressionismo** – Dominique Lobstein
844. **Escrita chinesa** – Viviane Alleton
845. **Paris: uma história** – Yvan Combeau
846. (15).**Van Gogh** – David Haziot
848. **Portal do destino** – Agatha Christie
849. **O futuro de uma ilusão** – Freud
850. **O mal-estar na cultura** – Freud
853. **Um crime adormecido** – Agatha Christie
854. **Satori em Paris** – Jack Kerouac
855. **Medo e delírio em Las Vegas** – Hunter Thompson
856. **Um negócio fracassado e outros contos de humor** – Tchékhov
857. **Mônica está de férias!** – Mauricio de Sousa
858. **De quem é esse coelho?** – Mauricio de Sousa
859. **O mistério Sittaford** – Agatha Christie
861. **Manhã transfigurada** – L. A. de Assis Brasil
862. **Alexandre, o Grande** – Pierre Briant
863. **Jesus** – Charles Perrot
864. **Islã** – Paul Balta
865. **Guerra da Secessão** – Farid Ameur
866. **Um rio que vem da Grécia** – Cláudio Moreno
868. **Assassinato na casa do pastor** – Agatha Christie
869. **Manual do líder** – Napoleão Bonaparte
870. (16).**Billie Holiday** – Sylvia Fol
871. **Bidu arrasando!** – Mauricio de Sousa
872. **Os Sousa: Desventuras em família** – Mauricio de Sousa
874. **E no final a morte** – Agatha Christie
875. **Guia prático do Português correto – vol. 4** – Cláudio Moreno
876. **Dilbert** (6) – Scott Adams
877. (17).**Leonardo da Vinci** – Sophie Chauveau
878. **Bella Toscana** – Frances Mayes
879. **A arte da ficção** – David Lodge
880. **Striptiras** (4) – Laerte
881. **Skrotinhas** – Angeli
882. **Depois do funeral** – Agatha Christie
883. **Radicci 7** – Iotti
884. **Walden** – H. D. Thoreau
885. **Lincoln** – Allen C. Guelzo
886. **Primeira Guerra Mundial** – Michael Howard
887. **A linha de sombra** – Joseph Conrad
888. **O amor é um cão dos diabos** – Bukowski
889. **Despertar: uma vida de Buda** – Jack Kerouac
890. (18).**Albert Einstein** – Laurent Seksik
892. **Hell's Angels** – Hunter Thompson
893. **Ausência na primavera** – Agatha Christie
894. **Dilbert** (7) – Scott Adams

895. **Ao sul de lugar nenhum** – Bukowski
896. **Maquiavel** – Quentin Skinner
897. **Sócrates** – C.C.W. Taylor
899. **O Natal de Poirot** – Agatha Christie
900. **As veias abertas da América Latina** – Eduardo Galeano
901. **Snoopy: Sempre alerta!** (10) – Charles Schulz
902. **Chico Bento: Plantando confusão** – Mauricio de Sousa
903. **Penadinho: Quem é morto sempre aparece** – Mauricio de Sousa
904. **A vida sexual da mulher feia** – Claudia Tajes
905. **100 segredos de liquidificador** – José Antonio Pinheiro Machado
906. **Sexo muito prazer 2** – Laura Meyer da Silva
907. **Os nascimentos** – Eduardo Galeano
908. **As caras e as máscaras** – Eduardo Galeano
909. **O século do vento** – Eduardo Galeano
910. **Poirot perde uma cliente** – Agatha Christie
911. **Cérebro** – Michael O'Shea
912. **O escaravelho de ouro e outras histórias** – Edgar Allan Poe
913. **Piadas para sempre** (4) – Visconde da Casa Verde
914. **100 receitas de massas light** – Helena Tonetto
915. (19).**Oscar Wilde** – Daniel Salvatore Schiffer
916. **Uma breve história do mundo** – H. G. Wells
917. **A Casa do Penhasco** – Agatha Christie
919. **John M. Keynes** – Bernard Gazier
920. (20).**Virginia Woolf** – Alexandra Lemasson
921. **Peter e Wendy** *seguido de* **Peter Pan em Kensington Gardens** – J. M. Barrie
922. **Aline: numas de colegial** (5) – Adão Iturrusgarai
923. **Uma dose mortal** – Agatha Christie
924. **Os trabalhos de Hércules** – Agatha Christie
926. **Kant** – Roger Scruton
927. **A inocência do Padre Brown** – G.K. Chesterton
928. **Casa Velha** – Machado de Assis
929. **Marcas de nascença** – Nancy Huston
930. **Aulete de bolso**
931. **Hora Zero** – Agatha Christie
932. **Morte na Mesopotâmia** – Agatha Christie
934. **Nem te conto, João** – Dalton Trevisan
935. **As aventuras de Huckleberry Finn** – Mark Twain
936. (21).**Marilyn Monroe** – Anne Plantagenet
937. **China moderna** – Rana Mitter
938. **Dinossauros** – David Norman
939. **Louca por homem** – Claudia Tajes
940. **Amores de alto risco** – Walter Riso
941. **Jogo de damas** – David Coimbra
942. **Filha é filha** – Agatha Christie
943. **M ou N?** – Agatha Christie
945. **Bidu: diversão em dobro!** – Mauricio de Sousa
946. **Fogo** – Anaïs Nin
947. **Rum: diário de um jornalista bêbado** – Hunter Thompson
948. **Persuasão** – Jane Austen
949. **Lágrimas na chuva** – Sergio Faraco

950. **Mulheres** – Bukowski
951. **Um pressentimento funesto** – Agatha Christie
952. **Cartas na mesa** – Agatha Christie
954. **O lobo do mar** – Jack London
955. **Os gatos** – Patricia Highsmith
956(22). **Jesus** – Christiane Rancé
957. **História da medicina** – William Bynum
958. **O Morro dos Ventos Uivantes** – Emily Brontë
959. **A filosofia na era trágica dos gregos** – Nietzsche
960. **Os treze problemas** – Agatha Christie
961. **A massagista japonesa** – Moacyr Scliar
963. **Humor do miserê** – Nani
964. **Todo o mundo tem dúvida, inclusive você** – Édison de Oliveira
965. **A dama do Bar Nevada** – Sergio Faraco
969. **O psicopata americano** – Bret Easton Ellis
970. **Ensaios de amor** – Alain de Botton
971. **O grande Gatsby** – F. Scott Fitzgerald
972. **Por que não sou cristão** – Bertrand Russell
973. **A Casa Torta** – Agatha Christie
974. **Encontro com a morte** – Agatha Christie
975(23). **Rimbaud** – Jean-Baptiste Baronian
976. **Cartas na rua** – Bukowski
977. **Memória** – Jonathan K. Foster
978. **A abadia de Northanger** – Jane Austen
979. **As pernas de Úrsula** – Claudia Tajes
980. **Retrato inacabado** – Agatha Christie
981. **Solanin (1)** – Inio Asano
982. **Solanin (2)** – Inio Asano
983. **Aventuras de menino** – Mitsuru Adachi
984(16). **Fatos & mitos sobre sua alimentação** – Dr. Fernando Lucchese
985. **Teoria quântica** – John Polkinghorne
986. **O eterno marido** – Fiódor Dostoiévski
987. **Um safado em Dublin** – J. P. Donleavy
988. **Mirinha** – Dalton Trevisan
989. **Akhenaton e Nefertiti** – Carmen Seganfredo e A. S. Franchini
990. **On the Road – o manuscrito original** – Jack Kerouac
991. **Relatividade** – Russell Stannard
992. **Abaixo de zero** – Bret Easton Ellis
993(24). **Andy Warhol** – Mériam Korichi
995. **Os últimos casos de Miss Marple** – Agatha Christie
996. **Nico Demo: Aí vem encrenca** – Mauricio de Sousa
998. **Rousseau** – Robert Wokler
999. **Noite sem fim** – Agatha Christie
1000. **Diários de Andy Warhol (1)** – Editado por Pat Hackett
1001. **Diários de Andy Warhol (2)** – Editado por Pat Hackett
1002. **Cartier-Bresson: o olhar do século** – Pierre Assouline
1003. **As melhores histórias da mitologia: vol. 1** – A.S. Franchini e Carmen Seganfredo
1004. **As melhores histórias da mitologia: vol. 2** – A.S. Franchini e Carmen Seganfredo
1005. **Assassinato no beco** – Agatha Christie
1006. **Convite para um homicídio** – Agatha Christie
1008. **História da vida** – Michael J. Benton
1009. **Jung** – Anthony Stevens
1010. **Arsène Lupin, ladrão de casaca** – Maurice Leblanc
1011. **Dublinenses** – James Joyce
1012. **120 tirinhas da Turma da Mônica** – Mauricio de Sousa
1013. **Antologia poética** – Fernando Pessoa
1014. **A aventura de um cliente ilustre** *seguido de* **O último adeus de Sherlock Holmes** – Sir Arthur Conan Doyle
1015. **Cenas de Nova York** – Jack Kerouac
1016. **A corista** – Anton Tchékhov
1017. **O diabo** – Leon Tolstói
1018. **Fábulas chinesas** – Sérgio Capparelli e Márcia Schmaltz
1019. **O gato do Brasil** – Sir Arthur Conan Doyle
1020. **Missa do Galo** – Machado de Assis
1021. **O mistério de Marie Rogêt** – Edgar Allan Poe
1022. **A mulher mais linda da cidade** – Bukowski
1023. **O retrato** – Nicolai Gogol
1024. **O conflito** – Agatha Christie
1025. **Os primeiros casos de Poirot** – Agatha Christie
1027(25). **Beethoven** – Bernard Fauconnier
1028. **Platão** – Julia Annas
1029. **Cleo e Daniel** – Roberto Freire
1030. **Til** – José de Alencar
1031. **Viagens na minha terra** – Almeida Garrett
1032. **Profissões para mulheres e outros artigos feministas** – Virginia Woolf
1033. **Mrs. Dalloway** – Virginia Woolf
1034. **O cão da morte** – Agatha Christie
1035. **Tragédia em três atos** – Agatha Christie
1037. **O fantasma da Ópera** – Gaston Leroux
1038. **Evolução** – Brian e Deborah Charlesworth
1039. **Medida por medida** – Shakespeare
1040. **Razão e sentimento** – Jane Austen
1041. **A obra-prima ignorada** *seguido de* **Um episódio durante o Terror** – Balzac
1042. **A fugitiva** – Anaïs Nin
1043. **As grandes histórias da mitologia greco--romana** – A. S. Franchini
1044. **O corno de si mesmo & outras historietas** – Marquês de Sade
1045. **Da felicidade** *seguido de* **Da vida retirada** – Sêneca
1046. **O horror em Red Hook e outras histórias** – H. P. Lovecraft
1047. **Noite em claro** – Martha Medeiros
1048. **Poemas clássicos chineses** – Li Bai, Du Fu e Wang Wei
1049. **A terceira moça** – Agatha Christie
1050. **Um destino ignorado** – Agatha Christie
1051(26). **Buda** – Sophie Royer
1052. **Guerra Fria** – Robert J. McMahon
1053. **Simons's Cat: as aventuras de um gato travesso e comilão – vol. 1** – Simon Tofield
1054. **Simons's Cat: as aventuras de um gato travesso e comilão – vol. 2** – Simon Tofield
1055. **Só as mulheres e as baratas sobreviverão** – Claudia Tajes

1057. **Pré-história** – Chris Gosden
1058. **Pintou sujeira!** – Mauricio de Sousa
1059. **Contos de Mamãe Gansa** – Charles Perrault
1060. **A interpretação dos sonhos: vol. 1** – Freud
1061. **A interpretação dos sonhos: vol. 2** – Freud
1062. **Frufru Rataplã Dolores** – Dalton Trevisan
1063. **As melhores histórias da mitologia egípcia** – Carmem Seganfredo e A.S. Franchini
1064. **Infância. Adolescência. Juventude** – Tolstói
1065. **As consolações da filosofia** – Alain de Botton
1066. **Diários de Jack Kerouac – 1947-1954**
1067. **Revolução Francesa – vol. 1** – Max Gallo
1068. **Revolução Francesa – vol. 2** – Max Gallo
1069. **O detetive Parker Pyne** – Agatha Christie
1070. **Memórias do esquecimento** – Flávio Tavares
1071. **Drogas** – Leslie Iversen
1072. **Manual de ecologia (vol.2)** – J. Lutzenberger
1073. **Como andar no labirinto** – Affonso Romano de Sant'Anna
1074. **A orquídea e o serial killer** – Juremir Machado da Silva
1075. **Amor nos tempos de fúria** – Lawrence Ferlinghetti
1076. **A aventura do pudim de Natal** – Agatha Christie
1078. **Amores que matam** – Patricia Faur
1079. **Histórias de pescador** – Mauricio de Sousa
1080. **Pedaços de um caderno manchado de vinho** – Bukowski
1081. **A ferro e fogo: tempo de solidão (vol.1)** – Josué Guimarães
1082. **A ferro e fogo: tempo de guerra (vol.2)** – Josué Guimarães
1084(17). **Desembarcando o Alzheimer** – Dr. Fernando Lucchese e Dra. Ana Hartmann
1085. **A maldição do espelho** – Agatha Christie
1086. **Uma breve história da filosofia** – Nigel Warburton
1088. **Heróis da História** – Will Durant
1089. **Concerto campestre** – L. A. de Assis Brasil
1090. **Morte nas nuvens** – Agatha Christie
1092. **Aventura em Bagdá** – Agatha Christie
1093. **O cavalo amarelo** – Agatha Christie
1094. **O método de interpretação dos sonhos** – Freud
1095. **Sonetos de amor e desamor** – Vários
1096. **120 tirinhas do Dilbert** – Scott Adams
1097. **200 fábulas de Esopo**
1098. **O curioso caso de Benjamin Button** – F. Scott Fitzgerald
1099. **Piadas para sempre: uma antologia para morrer de rir** – Visconde da Casa Verde
1100. **Hamlet (Mangá)** – Shakespeare
1101. **A arte da guerra (Mangá)** – Sun Tzu
1104. **As melhores histórias da Bíblia (vol.1)** – A. S. Franchini e Carmen Seganfredo
1105. **As melhores histórias da Bíblia (vol.2)** – A. S. Franchini e Carmen Seganfredo
1106. **Psicologia das massas e análise do eu** – Freud
1107. **Guerra Civil Espanhola** – Helen Graham
1108. **A autoestrada do sul e outras histórias** – Julio Cortázar
1109. **O mistério dos sete relógios** – Agatha Christie
1110. **Peanuts: Ninguém gosta de mim... (amor)** – Charles Schulz
1111. **Cadê o bolo?** – Mauricio de Sousa
1112. **O filósofo ignorante** – Voltaire
1113. **Totem e tabu** – Freud
1114. **Filosofia pré-socrática** – Catherine Osborne
1115. **Desejo de status** – Alain de Botton
1118. **Passageiro para Frankfurt** – Agatha Christie
1120. **Kill All Enemies** – Melvin Burgess
1121. **A morte da sra. McGinty** – Agatha Christie
1122. **Revolução Russa** – S. A. Smith
1123. **Até você, Capitu?** – Dalton Trevisan
1124. **O grande Gatsby (Mangá)** – F. S. Fitzgerald
1125. **Assim falou Zaratustra (Mangá)** – Nietzsche
1126. **Peanuts: É para isso que servem os amigos (amizade)** – Charles Schulz
1127(27). **Nietzsche** – Dorian Astor
1128. **Bidu: Hora do banho** – Mauricio de Sousa
1129. **O melhor do Macanudo Taurino** – Santiago
1130. **Radicci 30 anos** – Iotti
1131. **Show de sabores** – J.A. Pinheiro Machado
1132. **O prazer das palavras** – vol. 3 – Cláudio Moreno
1133. **Morte na praia** – Agatha Christie
1134. **O fardo** – Agatha Christie
1135. **Manifesto do Partido Comunista (Mangá)** – Marx & Engels
1136. **A metamorfose (Mangá)** – Franz Kafka
1137. **Por que você não se casou... ainda** – Tracy McMillan
1138. **Textos autobiográficos** – Bukowski
1139. **A importância de ser prudente** – Oscar Wilde
1140. **Sobre a vontade na natureza** – Arthur Schopenhauer
1141. **Dilbert (8)** – Scott Adams
1142. **Entre dois amores** – Agatha Christie
1143. **Cipreste triste** – Agatha Christie
1144. **Alguém viu uma assombração?** – Mauricio de Sousa
1145. **Mandela** – Elleke Boehmer
1146. **Retrato do artista quando jovem** – James Joyce
1147. **Zadig ou o destino** – Voltaire
1148. **O contrato social (Mangá)** – J.-J. Rousseau
1149. **Garfield fenomenal** – Jim Davis
1150. **A queda da América** – Allen Ginsberg
1151. **Música na noite & outros ensaios** – Aldous Huxley
1152. **Poesias inéditas & Poemas dramáticos** – Fernando Pessoa
1153. **Peanuts: Felicidade é...** – Charles M. Schulz
1154. **Mate-me por favor** – Legs McNeil e Gillian McCain
1155. **Assassinato no Expresso Oriente** – Agatha Christie
1156. **Um punhado de centeio** – Agatha Christie
1157. **A interpretação dos sonhos (Mangá)** – Freud
1158. **Peanuts: Você não entende o sentido da vida** – Charles M. Schulz
1159. **A dinastia Rothschild** – Herbert R. Lottman
1160. **A Mansão Hollow** – Agatha Christie
1161. **Nas montanhas da loucura** – H.P. Lovecraft

1162(28).**Napoleão Bonaparte** – Pascale Fautrier
1163.**Um corpo na biblioteca** – Agatha Christie
1164.**Inovação** – Mark Dodgson e David Gann
1165.**O que toda mulher deve saber sobre os homens: a afetividade masculina** – Walter Riso
1166.**O amor está no ar** – Mauricio de Sousa
1167.**Testemunha de acusação & outras histórias** – Agatha Christie
1168.**Etiqueta de bolso** – Celia Ribeiro
1169.**Poesia reunida (volume 3)** – Affonso Romano de Sant'Anna
1170.**Emma** – Jane Austen
1171.**Que seja em segredo** – Ana Miranda
1172.**Garfield sem apetite** – Jim Davis
1173.**Garfield: Foi mal...** – Jim Davis
1174.**Os irmãos Karamázov (Mangá)** – Dostoiévski
1175.**O Pequeno Príncipe** – Antoine de Saint-Exupéry
1176.**Peanuts: Ninguém mais tem o espírito aventureiro** – Charles M. Schulz
1177.**Assim falou Zaratustra** – Nietzsche
1178.**Morte no Nilo** – Agatha Christie
1179.**Ê, soneca boa** – Mauricio de Sousa
1180.**Garfield a todo o vapor** – Jim Davis
1181.**Em busca do tempo perdido (Mangá)** – Proust
1182.**Cai o pano: o último caso de Poirot** – Agatha Christie
1183.**Livro para colorir e relaxar** – Livro 1
1184.**Para colorir sem parar**
1185.**Os elefantes não esquecem** – Agatha Christie
1186.**Teoria da relatividade** – Albert Einstein
1187.**Compêndio da psicanálise** – Freud
1188.**Visões de Gerard** – Jack Kerouac
1189.**Fim de verão** – Mohiro Kitoh
1190.**Procurando diversão** – Mauricio de Sousa
1191.**E não sobrou nenhum e outras peças** – Agatha Christie
1192.**Ansiedade** – Daniel Freeman & Jason Freeman
1193.**Garfield: pausa para o almoço** – Jim Davis
1194.**Contos do dia e da noite** – Guy de Maupassant
1195.**O melhor de Hagar 7** – Dik Browne
1196(29).**Lou Andreas-Salomé** – Dorian Astor
1197(30).**Pasolini** – René de Ceccatty
1198.**O caso do Hotel Bertram** – Agatha Christie
1199.**Crônicas de motel** – Sam Shepard
1200.**Pequena filosofia da paz interior** – Catherine Rambert
1201.**Os sertões** – Euclides da Cunha
1202.**Treze à mesa** – Agatha Christie
1203.**Bíblia** – John Riches
1204.**Anjos** – David Albert Jones
1205.**As tirinhas do Guri de Uruguaiana 1** – Jair Kobe
1206.**Entre aspas (vol.1)** – Fernando Eichenberg
1207.**Escrita** – Andrew Robinson
1208.**O spleen de Paris: pequenos poemas em prosa** – Charles Baudelaire
1209.**Satíricon** – Petrônio
1210.**O avarento** – Molière
1211.**Queimando na água, afogando-se na chama** – Bukowski
1212.**Miscelânea septuagenária: contos e poemas** – Bukowski
1213.**Que filosofar é aprender a morrer e outros ensaios** – Montaigne
1214.**Da amizade e outros ensaios** – Montaigne
1215.**O medo à espreita e outras histórias** – H.P. Lovecraft
1216.**A obra de arte na era de sua reprodutibilidade técnica** – Walter Benjamin
1217.**Sobre a liberdade** – John Stuart Mill
1218.**O segredo de Chimneys** – Agatha Christie
1219.**Morte na rua Hickory** – Agatha Christie
1220.**Ulisses (Mangá)** – James Joyce
1221.**Ateísmo** – Julian Baggini
1222.**Os melhores contos de Katherine Mansfield** – Katherine Mansfied
1223(31).**Martin Luther King** – Alain Foix
1224.**Millôr Definitivo: uma antologia de *A Bíblia do Caos*** – Millôr Fernandes
1225.**O Clube das Terças-Feiras e outras histórias** – Agatha Christie
1226.**Por que sou tão sábio** – Nietzsche
1227.**Sobre a mentira** – Platão
1228.**Sobre a leitura *seguido do* Depoimento de Céleste Albaret** – Proust
1229.**O homem do terno marrom** – Agatha Christie
1230(32).**Jimi Hendrix** – Franck Médioni
1231.**Amor e amizade e outras histórias** – Jane Austen
1232.**Lady Susan, Os Watson e Sanditon** – Jane Austen
1233.**Uma breve história da ciência** – William Bynum
1234.**Macunaíma: o herói sem nenhum caráter** – Mário de Andrade
1235.**A máquina do tempo** – H.G. Wells
1236.**O homem invisível** – H.G. Wells
1237.**Os 36 estratagemas: manual secreto da arte da guerra** – Anônimo
1238.**A mina de ouro e outras histórias** – Agatha Christie
1239.**Pic** – Jack Kerouac
1240.**O habitante da escuridão e outros contos** – H.P. Lovecraft
1241.**O chamado de Cthulhu e outros contos** – H.P. Lovecraft
1242.**O melhor de Meu reino por um cavalo!** – Edição de Ivan Pinheiro Machado
1243.**A guerra dos mundos** – H.G. Wells
1244.**O caso da criada perfeita e outras histórias** – Agatha Christie
1245.**Morte por afogamento e outras histórias** – Agatha Christie
1246.**Assassinato no Comitê Central** – Manuel Vázquez Montalbán
1247.**O papai é pop** – Marcos Piangers
1248.**O papai é pop 2** – Marcos Piangers
1249.**A mamãe é rock** – Ana Cardoso

1250. **Paris boêmia** – Dan Franck
1251. **Paris libertária** – Dan Franck
1252. **Paris ocupada** – Dan Franck
1253. **Uma anedota infame** – Dostoiévski
1254. **O último dia de um condenado** – Victor Hugo
1255. **Nem só de caviar vive o homem** – J.M. Simmel
1256. **Amanhã é outro dia** – J.M. Simmel
1257. **Mulherzinhas** – Louisa May Alcott
1258. **Reforma Protestante** – Peter Marshall
1259. **História econômica global** – Robert C. Allen
1260.(33). **Che Guevara** – Alain Foix
1261. **Câncer** – Nicholas James
1262. **Akhenaton** – Agatha Christie
1263. **Aforismos para a sabedoria de vida** – Arthur Schopenhauer
1264. **Uma história do mundo** – David Coimbra
1265. **Ame e não sofra** – Walter Riso
1266. **Desapegue-se!** – Walter Riso
1267. **Os Sousa: Uma famíla do barulho** – Mauricio de Sousa
1268. **Nico Demo: O rei da travessura** – Mauricio de Sousa
1269. **Testemunha de acusação e outras peças** – Agatha Christie
1270.(34). **Dostoiévski** – Virgil Tanase
1271. **O melhor de Hagar 8** – Dik Browne
1272. **O melhor de Hagar 9** – Dik Browne
1273. **O melhor de Hagar 10** – Dik e Chris Browne
1274. **Considerações sobre o governo representativo** – John Stuart Mill
1275. **O homem Moisés e a religião monoteísta** – Freud
1276. **Inibição, sintoma e medo** – Freud
1277. **Além do princípio de prazer** – Freud
1278. **O direito de dizer não!** – Walter Riso
1279. **A arte de ser flexível** – Walter Riso
1280. **Casados e descasados** – August Strindberg
1281. **Da Terra à Lua** – Júlio Verne
1282. **Minhas galerias e meus pintores** – Kahnweiler
1283. **A arte do romance** – Virginia Woolf
1284. **Teatro completo v. 1: As aves da noite** *seguido de* **O visitante** – Hilda Hilst
1285. **Teatro completo v. 2: O verdugo** *seguido de* **A morte do patriarca** – Hilda Hilst
1286. **Teatro completo v. 3: O rato no muro** *seguido de* **Auto da barca de Camiri** – Hilda Hilst
1287. **Teatro completo v. 4: A empresa** *seguido de* **O novo sistema** – Hilda Hilst
1289. **Fora de mim** – Martha Medeiros
1290. **Divã** – Martha Medeiros
1291. **Sobre a genealogia da moral: um escrito polêmico** – Nietzsche
1292. **A consciência de Zeno** – Italo Svevo
1293. **Células-tronco** – Jonathan Slack
1294. **O fim do ciúme e outros contos** – Proust
1295. **A jangada** – Júlio Verne
1296. **A ilha do dr. Moreau** – H.G. Wells
1297. **Ninho de fidalgos** – Ivan Turguêniev
1298. **Jane Eyre** – Charlotte Brontë
1299. **Sobre gatos** – Bukowski
1300. **Sobre o amor** – Bukowski
1301. **Escrever para não enlouquecer** – Bukowski
1302. **222 receitas** – J. A. Pinheiro Machado
1303. **Reinações de Narizinho** – Monteiro Lobato
1304. **O Saci** – Monteiro Lobato
1305. **Memórias da Emília** – Monteiro Lobato
1306. **O Picapau Amarelo** – Monteiro Lobato
1307. **A reforma da Natureza** – Monteiro Lobato
1308. **Fábulas** *seguido de* **Histórias diversas** – Monteiro Lobato
1309. **Aventuras de Hans Staden** – Monteiro Lobato
1310. **Peter Pan** – Monteiro Lobato
1311. **Dom Quixote das crianças** – Monteiro Lobato
1312. **O Minotauro** – Monteiro Lobato
1313. **Um quarto só seu** – Virginia Woolf
1314. **Sonetos** – Shakespeare
1315.(35). **Thoreau** – Marie Berthoumieu e Laura El Makki
1316. **Teoria da arte** – Cynthia Freeland
1317. **A arte da prudência** – Baltasar Gracián
1318. **O louco** *seguido de* **Areia e espuma** – Khalil Gibran
1319. **O profeta** *seguido de* **O jardim do profeta** – Khalil Gibran
1320. **Jesus, o Filho do Homem** – Khalil Gibran
1321. **A luta** – Norman Mailer
1322. **Sobre o sofrimento do mundo e outros ensaios** – Schopenhauer
1323. **Epidemiologia** – Rodolfo Saracci
1324. **Japão moderno** – Christopher Goto-Jones
1325. **A arte da meditação** – Matthieu Ricard
1326. **O adversário secreto** – Agatha Christie
1327. **Pollyanna** – Eleanor H. Porter
1328. **Espelhos** – Eduardo Galeano
1329. **A Vênus das peles** – Sacher-Masoch
1330. **O 18 de brumário de Luís Bonaparte** – Karl Marx
1331. **Um jogo para os vivos** – Patricia Highsmith
1332. **A tristeza pode esperar** – J.J. Camargo
1333. **Vinte poemas de amor e uma canção desesperada** – Pablo Neruda
1334. **Judaísmo** – Norman Solomon
1335. **Esquizofrenia** – Christopher Frith & Eve Johnstone
1336. **Seis personagens em busca de um autor** – Luigi Pirandello
1337. **A Fazenda dos Animais** – George Orwell
1338. **1984** – George Orwell
1339. **Ubu Rei** – Alfred Jarry
1340. **Sobre bêbados e bebidas** – Bukowski
1341. **Tempestade para os vivos e para os mortos** – Bukowski
1342. **Complicado** – Natsume Ono
1343. **Sobre o livre-arbítrio** – Schopenhauer
1344. **Uma breve história da literatura** – John Sutherland
1345. **Você fica tão sozinho às vezes que até faz sentido** – Bukowski

lepmeditores
www.lpm.com.br
o site que conta tudo

IMPRESSÃO:

PALLOTTI
GRÁFICA

Santa Maria - RS | Fone: (55) 3220.4500
www.graficapallotti.com.br